CHRONIQUES D'UNE
SORCIÈRE
D'AUJOURD'HUI
2. Alicia

Angèle Delaunois

Catalogage avant publication de Bibliothèque et Archives nationales du Québec et Bibliothèque et Archives Canada

Delaunois, Angèle

Chronique d'une sorcière d'aujourd'hui

Sommaire: t. 1. Isabelle -- t. 2. Alicia.

ISBN 978-2-89435-488-9 (v. 1)
ISBN 978-2-89435-489-6 (v. 2)

I. Titre. II. Titre: Isabelle. III. Titre: Alicia.

PS8557.E433C565 2010 C843'.54 C2010-941919-7
PS9557.E433C565 2010

Illustration de la page couverture: Magali Villeneuve
Conception de la couverture et infographie:
Marie-Ève Boisvert, Éditions Michel Quintin

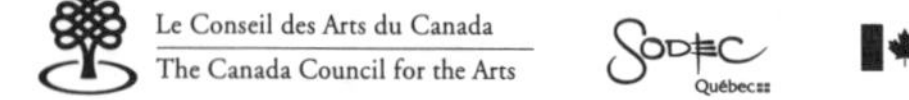

La publication de cet ouvrage a été réalisée grâce au soutien financier du Conseil des Arts du Canada et de la SODEC.

De plus, les Éditions Michel Quintin reconnaissent l'aide financière du gouvernement du Canada par l'entremise du Fonds du livre du Canada pour leurs activités d'édition.

Gouvernement du Québec – Programme de crédit d'impôt pour l'édition de livres – Gestion SODEC

ISBN 978-2-89435-489-6

Dépôt légal – Bibliothèque et Archives nationales du Québec, 2011
Dépôt légal – Bibliothèque et Archives Canada, 2011

Éditions Michel Quintin
C.P. 340, Waterloo (Québec)
Canada J0E 2N0
Tél. : 450 539-3774
Téléc. : 450 539-4905
editionsmichelquintin.ca

1 1 - G A - 1

Imprimé au Canada

À Andrée, Rhéa et Sylvie, mes premières lectrices.
À Fredou, ma première auditrice… pour toujours.

PROLOGUE

Alicia reste seule. Elle grelotte de détresse et se demande ce qu'elle est venue faire là, encore une fois. Son sac de toile est vide. Elle ne se comprend plus. Pourquoi vient-elle, presque chaque jour, dans cet endroit lugubre… comme si elle y était appelée par quelque chose de bien plus fort qu'elle ? Elle aime les fleurs et les plantes, d'accord, mais cette recherche insensée tourne à la névrose. Elle ne comprend pas non plus pourquoi la tristesse et le désespoir emplissent son cœur, alors qu'elle a tout pour elle : la jeunesse, la beauté, le talent, l'intelligence, l'amour en la personne de ce beau gars qui se jetterait volontiers dans le feu si elle le lui demandait.

Et ce froid terrifiant qui ne la quitte plus maintenant et qui l'oblige à conserver une température de serre dans son petit appartement… D'où provient-il ? Va-t-il la lâcher un jour ? Est-il en train de l'éteindre, de la tuer ? C'est seulement lorsqu'elle danse avec Carlos qu'elle retrouve sa chaleur et sa vitalité. Elle se sent terriblement seule dans ce pays étranger dont on lui avait tant vanté la générosité et la bonne humeur. Elle a l'impression de glisser lentement vers un trou obscur où une force maléfique l'attend pour lui arracher tout ce qu'elle a, tout ce qu'elle est… Elle ne sait que faire pour s'en sortir.

Découragée, elle regarde autour d'elle. Solitude, blancheur, espaces infinis de mort et de souvenirs qui s'éteignent… Elle fond en larmes et, du fin fond de sa détresse, elle appelle la seule personne qui peut lui venir en aide : « ISA ».

Et voilà, on était revenus à la maison et il me restait de toute cette aventure en Bretagne une incroyable impression d'irréalité. Comme s'il ne s'était rien passé du tout, on s'était réinstallés dans notre vie sans trop de peine. Il y avait tout de même une petite différence : chaque jour qui passait me confirmait dans le fait que quelque chose était bancal entre mon frère jumeau et moi.

Jamais je ne m'étais sentie aussi crevée. Pendant les deux semaines qui ont suivi notre retour de Bretagne, je crois que j'ai dormi tout le temps. Dès que je me posais quelque part, je fermais les yeux et je plongeais dans une nuit obscure, très obscure. Je me couchais comme les poules, vers sept ou huit heures du soir, pour émerger difficilement vers dix ou onze heures le lendemain matin. Jacinthe, ma maman poule préférée, commençait à s'inquiéter sérieusement. Moi aussi.

Au bout de deux semaines de léthargie, j'étais tout de même assez reposée pour me demander ce que j'allais faire des semaines d'été qui restaient avant la rentrée au cégep. Pour dire vrai, j'avais envie de ne rien faire. J'ai tout de même accepté d'aller garder de temps en temps les deux gamines de notre voisin, deux petites cocottes adorables de trois et cinq ans, que je connais depuis leur naissance. Histoire de me faire un petit peu de sous, car mon compte en banque n'était pas loin du zéro absolu.

Max avait raconté à nos vieux en long, en large et en travers les moindres péripéties de notre voyage, mais, curieusement, il avait été très discret au sujet de notre séjour à Ménéac. Il avait mentionné aux parents notre séjour au fabuleux *bed and breakfast* de madame Brévelet, mais il n'avait rien raconté des événements plutôt étranges dont il avait été témoin. Et il avait été tout aussi muet sur le rôle que j'y avais joué. Comment expliquer rationnellement ce qui s'était passé? Si on s'était lancé là-dedans, papa aurait été sceptique et ricaneur et maman aurait été horrifiée.

Et lui, qu'est-ce qu'il fichait, mon Maxou préféré, en cette fin d'été ensoleillée ? Contrairement à moi, il était revenu en pleine forme de notre virée bretonne. Avec la ferme intention de repartir bientôt. Avec ou sans moi ? Il ne le précisait pas. Ce voyage lui avait ouvert des horizons, lui avait donné le goût de l'aventure. Loin de notre petite vie pépère, il avait le monde entier à découvrir et il n'allait pas s'en priver. Il avait décidé de commencer tout de suite à ramasser de l'argent pour son prochain voyage. Par conséquent, il avait trouvé assez vite un job d'été payant : serveur dans un café Starbucks du centre-ville qui était comble du matin au soir dès que la température était potable... et comme il faisait beau tous les jours ! Le salaire horaire n'était pas terrible mais les pourboires, à la fin du chiffre de travail, pouvaient se compter en centaines de beaux dollars. En principe, il ne travaillait pas dans la soirée, juste la journée. Il partait donc vers 7 h du matin pour faire les petits déjeuners et revenait en fin de journée après l'heure de l'apéro. Autant dire qu'on ne se voyait pas beaucoup. On se croisait parfois à la porte de la salle de bains, on mangeait quelquefois le soir tous les quatre en famille, c'était à peu près tout.

Je soupçonnais Max de me fuir... ou, à tout le moins, d'éviter toute conversation avec moi qui aurait pu tourner autour des événements de Ménéac. Même s'il avait été témoin et acteur privilégié de cette histoire, il n'avait pas envie d'en reparler ou d'approfondir ce qui s'était passé. Tout cela le mettait mal à l'aise. En cela, il était le digne fils de Pierre Legall : ce qui ne pouvait pas s'expliquer de manière rationnelle n'existait tout simplement pas. Sans pouvoir affirmer qu'il avait rêvé les yeux ouverts, il prenait du recul. Après tout, qu'est-ce qu'il avait VU ? Réellement VU ? Le portrait d'une très belle jeune femme du passé dans la chambre que nous avions occupée, un chat qui avait sauté dans un puits et une vieille dame grincheuse qui s'était mise à pleurer en le voyant et qui l'avait appelé Michel. Des belles filles, il y en avait eu à toutes les époques. Les chats idiots ne couraient pas les rues mais il y avait des exceptions. Quant aux vieilles dames qui perdent les pédales, il en connaissait quelques-unes… dont certaines dans notre famille. De son point de vue, ce qu'on avait vécu au manoir de Bellotte pouvait se résumer à ça. En fait, lui et moi, on n'avait pas fait le même *trip* !

Évidemment, je ne pouvais pas pratiquer la même légèreté, car mon implication était bien plus importante que la sienne. Juste avant de m'endormir, je revoyais souvent le sourire lumineux de

Bellotte et le visage parcheminé de Jeanne Longré. Je ne parvenais plus à les dissocier. La jeunesse de l'une et les ravages de l'âge chez l'autre se superposaient en générant en moi une angoisse dont je parvenais difficilement à m'évader. Je trouvais un peu de paix en invoquant les guides mystérieuses que j'avais rencontrées dans la forêt de Brocéliande. « Patience, petite sœur ! Tout ira bien pour toi. Le temps fera son œuvre. Tu as encore tant à apprendre ! »

Au fil des semaines, j'ai fini par retrouver un semblant de sérénité. La rentrée scolaire arrivait à grands pas. On allait changer de crèche, Max et moi, et se retrouver au cégep. On était mieux de s'y préparer. Dans deux semaines, on allait avoir autre chose à faire que de ressasser de vieilles inquiétudes.

Mais il n'est pas si facile que ça d'échapper à son destin. Au milieu du mois d'août, une enveloppe bordée de noir, adressée à mon nom, tomba dans notre boîte aux lettres. Elle contenait un faire-part qui annonçait la mort de celle que j'appelais avec tendresse « mémère Jeanne ». Un petit mot laconique y était joint.

Bonjour belle rouquine,

Jeanne est morte tranquillement pendant son sommeil, dans la nuit du 10 au 11 août. Grâce à toi, ses derniers jours ont été sereins. Elle a eu le temps de se réconcilier avec elle-même et elle est partie sans révolte, avec tout de même le regret d'être passée à côté de plein de choses. Il aurait fallu que ma sœur te rencontre bien avant… mais tu n'étais pas née. Que veux-tu, les choses arrivent lorsqu'elles doivent arriver. C'est tout !

Pour ma part, je vais partir en voyage comme j'ai toujours rêvé de le faire. Peut-être que je viendrai te voir un jour dans ton Canada. Le manoir est toujours ouvert et madame Brévelet a reçu beaucoup de clients pendant les vacances. Elle a trouvé un autre gardien.

Aliette est bien occupée avec son café-tabac. Elle t'embrasse, et moi aussi.

Alain Longré

Ainsi donc, la vieille Jeanne était partie en paix. Son âme torturée avait quitté son petit corps flétri par l'âge et le chagrin. Elle avait pu sourire et se sentir enfin pardonnée. Je fus reconnaissante de ce petit mot qu'Alain Longré m'avait envoyé, et la perspective de le revoir « peut-être » me réjouissait.

Paradoxalement, cette triste nouvelle me réconforta. Oui, j'avais bien travaillé. Oui, j'avais des pouvoirs que j'avais utilisés un peu n'importe comment dans l'urgence. Oui, il fallait que j'apprenne à les maîtriser. Oui, j'allais rencontrer des gens que j'aurais le pouvoir d'aider ou de guider. Oui, le monde étrange qui m'était ouvert était secret et pas grand monde ne me croirait. Mais il était unique et merveilleux et j'avais l'inimaginable pouvoir de m'y promener et d'y grandir.

Je n'ai pas eu besoin d'expliquer quoi que ce soit aux parents, étant donné que c'est moi qui avais ramassé la lettre dans la boîte. Par contre, j'ai posé bien en évidence le faire-part de décès sur la table de nuit de Max en gardant le petit mot d'Alain Longré pour moi seule. Je suis sûre qu'il l'a lu mais il ne m'a fait aucun commentaire.

Tout d'un coup, j'en ai eu ras le bol de Montréal. J'ai soudain eu besoin d'air pur, de silence, d'espace. J'ai donc appelé ma grand-mère Macha et je lui ai demandé si elle acceptait de me recevoir durant quelques jours, avant la rentrée. Bien entendu, elle a tout de suite été d'accord. Le lendemain matin, j'ai pris le premier autobus en direction de Sherbrooke.

Lorsqu'on était petits, on trouvait ça vraiment compliqué d'appeler notre grand-mère «mamie Macha». Pour se simplifier la vie, on l'avait baptisée Mamicha. Ce petit surnom d'amour lui était resté et elle s'en faisait une gloire. Donc, Mamicha m'attendait au terminus des autobus. Dès qu'elle m'aperçut, elle se précipita vers moi, me prit dans ses bras et m'embrassa une bonne vingtaine de fois. Elle a harponné mon sac de voyage et bras dessus, bras dessous, on a rejoint sa petite Mini. Le coffre de sa voiture débordait de sacs d'épicerie. Elle avait décidé de gâter sa chatonne, comme elle m'appelait depuis que je savais ronronner.

À une demi-heure de Sherbrooke, pas loin du village de North Hatley, le chalet de ma grand-mère était situé dans un bosquet, à flanc de colline. De là, on avait une vue magique sur le lac Massawippi et les nuages. Au bout de son chemin, on arrivait sur un terre-plein gazonné où la maison nous accueillait.

En entrant, on se retrouvait dans un vestibule un peu étroit. Ensuite, on accédait à la grande pièce, et là, c'était le bonheur. Des fenêtres sur trois côtés qui ouvraient sur les arbres et le miroir du lac dans le lointain, une véranda, des meubles tout simples, des livres partout, une immense cheminée en pierre et, surtout, une chaise berçante que je connaissais par cœur pour m'y être endormie bien des fois dans les bras de mamie.

Il y avait aussi le vieux piano de Théo, affreusement désaccordé, où trônait une photo de

Mamicha lorsqu'elle avait vingt ans. On dit que je lui ressemble beaucoup et c'est plutôt flatteur. Mamie, dans sa folle jeunesse, c'était tout un pétard : des cheveux roux bouclés, comme les miens, de grands yeux gris-vert, un sourire contagieux, une haute taille… que je ne possède pas puisque, selon Max, je suis une demi-portion.

Outre la grande pièce, il y avait trois chambres, toutes habillées de lattes de bois sombre, une vieille salle de bains et une cuisine laboratoire où flottaient toujours des odeurs incroyables. Au sous-sol, c'était le fief de Mamicha, son atelier de peintre où on n'entrait que sur la pointe des pieds… des toiles partout et un immense chevalet posé en pleine lumière qui soutenait l'œuvre en cours. Et là aussi, des bouquins, des revues d'art et un délire de plantes suspendues. Il y avait aussi une pièce mystérieuse où on évitait d'aller depuis qu'il avait disparu : la photothèque de Théo qui gardait ses milliers de précieuses diapositives

— Installe-toi, ma chatonne, tu connais la maison.

Bien sûr que je la connaissais cette maison. Comme ma poche. Max et moi, on y avait passé la plupart de nos grandes vacances et toutes les relâches scolaires, sans parler des fins de semaine. On avait même le droit d'y amener nos amis. On était traités comme des petits rois. Tout était prévu pour nous rendre la vie agréable.

Je me suis rendue directement dans «la chambre des jumeaux» et je me suis jetée sur mon lit, dans les bras de la petite sirène qui ornait la douillette, juste à côté de celle de Batman qui recouvrait sagement le lit de Max. Rien ne changeait jamais dans cette maison. J'adorais cet endroit. Les joies les plus pures de notre enfance y étaient inscrites en lettres lumineuses.

Mamicha était l'âme de cette maison depuis son mariage avec mon grand-père Théo Dubois. Elle y vivait seule depuis qu'il avait disparu mystérieusement. Je me souvenais assez bien de papi, le père de Jacinthe. Photographe animalier, il partait régulièrement aux quatre coins du monde pour croquer le portrait de toutes les «bibittes» rares de la planète. Un jour, il n'était pas revenu. Quelqu'un était venu annoncer sa disparition à Mamicha, mais elle avait refusé en bloc tout ce que ça impliquait. Malgré les années, elle ne s'était jamais résignée. Théo était parti, Théo allait revenir. Elle l'attendait depuis huit ans et ne parlait jamais de cette absence qui s'éternisait. Nous, nous respections son silence.

J'ai déballé mes affaires en moins d'une minute et je suis sortie pour faire le tour du propriétaire.

Mamicha cultivait avec amour quelques parterres de fleurs qui faisaient les délices des chevreuils, marmottes, mouffettes, ratons laveurs et autres bestioles qui demeuraient là, eux aussi. Des mangeoires étaient suspendues un peu partout. Un ballet aérien d'ailes bleues, rouges, jaunes ou noires s'y relayaient sans cesse. Sous un gros noyer, notre balançoire se berçait dans la brise tiède.

Soudain, j'ai reconnu l'appel cristallin de la cloche de cuivre qui annonçait la dînette de midi. Mamicha avait dressé le couvert dans la véranda. Après le repas, on s'est installées toutes les deux sur la galerie, face au lac, pour siroter le café au lait de la maison. Ma grand-mère m'a regardée droit dans les yeux.

— Qu'est-ce qui s'est passé en Bretagne, ma chatonne ? Raconte !

Si quelqu'un était capable de me comprendre, c'était bien Mamicha. On avait toujours été sur la même longueur d'onde. Je lui ai tout raconté : le manoir, Bellotte, la chatte, mémère Jeanne, Michel et Alain Longré, et même les présences mystérieuses de Brocéliande. Au fur et à mesure que je me confiais, un poids énorme s'échappait de mon cœur. Un silence bienfaisant s'est installé entre nous lorsque je me suis tue. Elle l'a rompu d'une voix douce.

— J'ai toujours su que tu avais des pouvoirs.

— Comment ça?

— Depuis que tu es toute petite, tu vois et tu perçois des choses que la majorité des gens ignoreront toute leur vie. Je peux parfaitement te comprendre parce que j'ai des pouvoirs, moi aussi, même s'ils sont bien moins importants que les tiens.

— Toi aussi, Mamicha?

Je me suis souvenue alors à quel point ma grand-mère était bizarre pour bien des gens de son entourage. Elle connaissait un peu, beaucoup, passionnément le secret des plantes. Elle devinait nos humeurs, nos soucis, nos petits chagrins, sans qu'on ait besoin de rien lui dire. On venait parfois lui demander des conseils étranges. Et puis, cette façon entière de refuser la mort de son Théo, comme si elle était sûre, contre toute évidence, qu'il était encore vivant quelque part…

— Bien sûr, chatonne. Moi aussi, je peux voir ou entendre certaines choses. Les transes, je connais!

— Les transes?

— Oui, ce que tu appelles ton cinéma intérieur. Il y en a plusieurs sortes. Je peux t'apprendre à les apprivoiser. Les plus faciles arrivent à ta conscience comme un rêve éveillé. Il y a aussi celles qui te submergent sous le coup de l'émotion, qui t'envahissent et te déstabilisent. Les plus difficiles, ce sont celles dont tu as besoin pour comprendre une situation et qui refusent de venir. Celles-là, il faut aller les chercher, trouver la petite corde qui va te permettre de les attirer à toi. Faire monter en toi toute ton autorité.

Je suis restée muette de surprise. Elle en connaissait des choses, Mamicha. C'était rassurant. Je savais qu'elle allait m'aider.

— Tu as bien fait de protéger ton frère. Max avance dans la vie comme un grand innocent. Il ne voit rien et il n'entend rien. Et il a un talent particulier pour se mettre les pieds dans les plats. D'ailleurs, ne relâche pas ton attention car il va avoir besoin de toi très bientôt.

— Qu'est-ce qui te fait dire ça?

— Je l'ai vu plusieurs nuits de suite. Il n'est pas menacé directement mais quelque chose de malveillant s'approche. Il va se retrouver dans une situation périlleuse. Et comme il ne saura pas comment s'en sortir, il se tournera tout naturellement vers toi. C'est assez confus, mais je suis sûre que ça va arriver dans pas longtemps.

— Ça promet!

— Allez, chatonne, on ne pense plus à tout ça. Tu es en vacances. Qu'est-ce que tu dirais d'une petite trempette dans le lac?

Proposition impossible à refuser. On n'a pas pris deux minutes pour mettre nos maillots de bain, attraper nos serviettes de plage et sauter dans la Mini. L'eau du lac était géniale. Le temps a passé comme un rêve, et moi, j'avais retrouvé mes dix-sept ans…

J'ai passé presque deux semaines chez ma grand-mère. Si j'avais pu, je serais restée encore plus longtemps. On a cuisiné, on a regardé des films idiots qui nous ont fait hurler de rire, on a lu des romans policiers pas possibles et on a beaucoup parlé. La seule journée de pluie, on a fait le grand ménage de son atelier. Mamicha m'a également appris à contrôler ma respiration intérieure, à trouver mon second souffle, à déployer un bouclier protecteur et d'autres techniques qui allaient m'être bien utiles dans les prochaines semaines.

La rentrée était dans deux jours. Jacinthe avait téléphoné deux fois pour que je rentre. Mamicha m'a reconduite à l'arrêt d'autobus. Elle m'a serrée dans ses bras. Son étreinte était beaucoup moins exubérante qu'à l'arrivée, plus intense, comme si, toutes les deux, on était maintenant liées par un pacte. Juste avant que je monte dans le bus, elle m'a chuchoté à l'oreille : « Fais bien attention à toi, ma chatonne ! »

Sur l'autoroute des Cantons-de-l'Est, j'ai remarqué quelques flèches rouges dans le vert des arbres. L'automne avait sorti ses couleurs de feu. Pour moi, l'été était bel et bien fini.

DEUX

La boîte. Le cube. Le bahut (comme aurait dit papa). Le collège. Le cégep ! On y était enfin. Tout était nouveau pour nous. Gros travail d'adaptation. Il fallait qu'on se dépatouille avec des horaires qui n'avaient rien à voir avec la régularité qu'on avait connue dans notre petite école secondaire. On devait trouver les classes correspondant à nos matières, se taper des kilomètres de couloirs à la vitesse marathon, évaluer un tas de nouveaux profs, affronter le vacarme de la cafétéria et sa bouffe calamiteuse, supporter la condescendance des « vieux » qui ne faisaient rien pour nous simplifier la vie… On en avait plein les bras.

Max était inscrit en maths pures. Depuis l'enfance, tout ce qui était chiffres, géométrie, algèbre et équations n'avait aucun secret pour lui. C'était un crack, un petit génie de la calculette. Avec une fierté qu'il dissimulait à peine, papa avait prédit qu'il deviendrait ingénieur. Avec des dons semblables, il n'y avait pas de place pour l'incertitude.

Mon frère, qui comprenait tout au quart de tour, se fâchait presque lorsqu'il me voyait piocher sur des exercices enfantins. « Mais voyons, Isa, c'est tellement facile ! » Ben non ! Pour moi, rien n'était simple dans ce domaine. Je détestais sa façon de me regarder comme si j'étais sous-développée. Par contre, en français, je pouvais lui rendre la pareille, car j'étais nettement plus calée. Pour lui, l'accord des verbes et l'orthographe étaient des vues de l'esprit inventées par des maniaques.

J'aurais pu m'inscrire en lettres mais j'avais préféré, au moment de remplir mon dossier, les arts plastiques. La peinture, le dessin, le fusain, l'infographie, tout cela m'attirait beaucoup. Contrairement à Max, je n'avais aucune idée de ce que j'allais faire plus tard et il ne me semblait pas urgent de le décider maintenant.

Les deux premières semaines ont été infernales. Après ce délai, on avait pris nos repères et on se conduisait comme de vieux habitués. Mon frère et moi, on ne se voyait pas souvent. On se croisait parfois en cavalant dans les couloirs entre deux cours et on partageait un casier dans l'immense hall d'entrée, le plus loin possible des coins sombres où se tenaient les revendeurs de *dope*. À la fin du mois de septembre, notre routine était bien huilée et on croulait déjà sous les travaux à remettre.

L'automne de toutes les nostalgies s'installa. La cour du collège se tapissa de flaques de pluie et de feuilles d'érables déclinant tous leurs pourpres. Les aurores frisquettes, les paroles embuées et le smog de la ville me rendaient frileuse. Le voyage en Bretagne était loin, très loin, et me semblait de plus en plus irréel.

C'est à peu près à ce moment-là que Max a commencé à vraiment déconner. Il avait obtenu de papa l'autorisation de continuer à travailler à son Starbucks, à condition que ça ne nuise en rien à ses études. Il avait promis tout ce qu'on voulait et avait même réduit sensiblement ses horaires de travail. Mais ça ne l'empêchait pas d'être de plus en plus absent. Plusieurs fois par semaine, il rentrait le soir à des heures impossibles et, les week-ends, on ne le voyait presque plus. Papa fulminait en tournant en rond dans son bureau et un gros pli soucieux ne quittait plus le front de maman.

Moi, j'avais ma petite idée sur la question. Je soupçonnais Max d'être en amour avec une fille. Il avait bien changé, mon frérot. Au lieu de mettre ses sous de côté pour un prochain voyage, il dépensait sans compter pour améliorer son apparence. Tout d'abord, il avait troqué sa couette de cheveux contre une petite coupe ébouriffée très *in* qu'il maintenait à grand renfort de gel. Ensuite, il s'était acheté du linge chic : un jean signé et ajusté, une chemise blanche en lin, un blouson de cuir et des belles chaussures en cuir, lui qui avait toujours fréquenté les espadrilles délacées et les t-shirts informes. Lorsqu'il mettait ses lunettes de soleil Armani pour achever sa métamorphose, il ne passait pas inaperçu, le Maxou. Au milieu de la populace des cégépiens habillés tous pareils, il était l'exception qui confirme la règle. Une meute de filles en chaleur se retournait sur son passage. Mais son cœur battait ailleurs.

Et puis, il y avait le tango… Oui, oui, le tango ! Dès qu'il mettait le pied dans la maison, mon frère nous faisait bénéficier de sa nouvelle passion musicale. Son ordi vomissait à plein régime un déluge d'accordéon et de violons gémissants. Ma chambre étant juste à côté de la sienne, je me retrouvais aux premières loges. Dès que ce délire sévissait, maman s'étouffait de rire, papa levait les yeux au ciel et courait s'enfermer dans son antre du sous-sol. C'était pas possible, cette musique ! Qu'est-ce qui lui prenait, à Max ?

Il s'était également payé un téléphone cellulaire pour qu'on ne puisse pas écouter ses conversations. Bien entendu, il ne s'était pas vanté de cette folle dépense auprès des parents. Lorsqu'il était à la maison, je l'entendais marmonner jusqu'à pas d'heure et je m'endormais au son de ce ronron indistinct. Il avait bien des choses à lui dire, à sa belle.

Lorsqu'il devait se lever de bonne heure pour aller au collège, c'était pas la joie s'il s'était couché aux petites heures du matin. L'orage qui couvait éclata lorsque le prof titulaire de Max téléphona à la maison pour informer Pierre que son petit génie de fils avait manqué ses cours de maths enrichies plusieurs fois dans la même semaine. La direction du cégep se demandait même si « elle allait pouvoir le garder dans ce programme spécial étant donné la désinvolture avec laquelle il envisageait ses études ». Fin de citation. Lorsque Max rentra à la maison ce jour-là, papa l'attendait avec une brique et un fanal pour un petit tête-à-tête au sous-sol.

Je n'ai pas eu besoin d'assister à ladite conversation pour en connaître la teneur. Papa et Max se hurlaient des horreurs qu'on entendait dans toute la maison. Jacinthe était recroquevillée dans la cuisine devant une pile de copies. Elle faisait semblant de les corriger mais son stylo rouge était en panne sèche.

L'engueulade ne dura pas plus de dix minutes, mais elle me parut un siècle. Même après avoir fermé ma porte, j'entendais des bouts de phrases qui n'auguraient rien de bon: «… tes études au sérieux… ton avenir…», «Tu comprends jamais rien…», «Tu vas faire ce qu'on te dit!», «… sacrifices qu'on a faits pour ta sœur et toi…», «… tu te souviens même plus que tu as été jeune!», «… à ton âge, je n'avais pas les possibilités que tu as… en train de tout gâcher…», «… j'en ai marre de ta morale de vieux con…».

Là, il y allait un peu fort, le frangin, même si Pierre abusait un peu avec ses trémolos paternels. J'ai entendu la porte d'entrée claquer avec fureur. Le silence qui suivit sa sortie était vraiment glauque. Je frissonnais de tous mes membres.

À l'heure habituelle du souper, j'ai entendu maman s'activer dans la cuisine. On s'est attablés pour manger, sans Max, avec des figures d'enterrement. Maman avait les yeux rouges et papa grinçait des dents sans s'en rendre compte. Le repas a été sinistre. On n'a pas prononcé une phrase et on ne s'est pas regardés une seule fois.

Vers onze heures du soir, papa a verrouillé la porte d'entrée avec ostentation. Je me doutais bien que Max n'allait pas rentrer de la nuit.

À deux heures du matin, je ne dormais toujours pas, barbouillée d'inquiétude. Où il était, ce grand imbécile ? N'y tenant plus, j'ai mis en pratique ce que Mamicha m'avait appris. Allongée confortablement sur mon lit, j'ai fait le vide en moi, j'ai contrôlé ma respiration et ralenti au maximum les battements de mon cœur en me concentrant sur Max. Je l'ai appelé de toutes mes forces. Rien. Au moment où j'allais abandonner, les images ont commencé à affluer.

Max est là. Il n'est pas seul. Une jeune femme, très grande, est en face de lui. Elle est belle, avec une queue de cheval de cheveux blonds qui danse dans son dos. Elle a des yeux mordorés et effilés sur les tempes, une peau blanche. Une chaîne en or brille à son cou. Elle parle à mon frère. Je n'entends pas ce qu'elle lui dit mais je distingue vaguement le son d'une musique, un rythme de tango. Derrière eux, j'aperçois des couleurs vives : beaucoup de verts différents, des roses, des mauves et des rouges, comme s'ils se trouvaient dans une serre, ou un jardin. Il doit faire chaud puisqu'elle porte une petite robe d'été à bretelles. En souriant, elle s'approche de Max, lui fait un collier de ses deux bras. Elle chuchote quelque chose à son oreille. Il abandonne son air renfrogné et sourit. Il enlace sa taille fine. Elle se colle contre lui. Ils se mettent à danser sur place, les yeux dans les yeux. Max respire son odeur avec un air douloureux. Du bout du doigt, il caresse le dessin de sa bouche, se penche vers elle et boit la douceur de ses lèvres…

Je me suis brusquement retrouvée dans mon lit, au bord de la nausée, avec le sentiment inconfortable d'avoir commis une indiscrétion. Pour moi, c'était clair. Même si c'était bien tentant, je ne pouvais pas utiliser mes pouvoirs pour espionner mon frère. C'était une question… d'éthique! La communication s'était rompue parce que j'étais trop proche de lui.

Au moins, j'étais rassurée au sujet de Max. Je savais qu'il n'était pas en danger. Du moins l'ai-je cru à ce moment-là même si l'avenir s'est chargé de me prouver qu'il n'en était rien. Il me restait une chose importante à faire avant de me noyer dans la nuit. J'ai déchiré une feuille de papier et j'ai écrit un beau message à mes parents:

«Max m'a envoyé un courriel. Il est chez un copain. Il va bien. Ne vous faites pas de souci, il va rentrer. Bisous.»

En glissant le message sous la porte de leur chambre, je me suis dit que ce mensonge pieux ne ferait de mal à personne et me serait pardonné.

Big Max a fini par rentrer à la maison, la mine basse, en fin d'après-midi, à une heure où les parents étaient encore au travail, histoire de se préparer à l'affrontement inévitable qui allait suivre. Je l'ai entendu jeter ses affaires sur le plancher de sa chambre. Je venais de rentrer du cégep et je m'escrimais à peindre une nature morte. Il a pris une douche et il s'est changé.

J'avais entrouvert ma porte. Il a frappé tout doucement et il s'est effondré comme une masse sur mon lit. Lorsque je me suis retournée vers lui, il regardait le plafond sans le voir, l'air inquiet et buté. Il s'est enfin décidé à parler.

— Comment ça s'est passé, hier soir ?

— L'enfer ! Maman a pleuré toute la soirée devant la télé et papa était fou furieux après toi, enfermé dans son bureau.

— Ouais !

— Si tu veux mon avis, une belle petite séance de dynamique parentale t'attend ce soir.

— Ouais !

— Tu vas répondre « ouais » à tout ce que je te dis ? T'étais où d'abord ? Et surtout, ne dis pas que ça ne nous regarde pas. Les vieux se sont drôlement inquiétés pour toi. Je les ai rassurés en inventant un gros mensonge. Papa voulait appeler tous tes copains et maman a failli vingt fois signaler ta disparition à la police. On était en plein psychodrame.

— J'étais chez Alicia.

— Alicia ? Qui c'est, Alicia ?

— Ben, ma blonde, tiens ! J'ai passé la nuit chez elle.

— Ah !

— Elle a un petit studio dans le Vieux. On travaille tous les deux au Starbucks.

Je ne pouvais quand même pas lui dire que je l'avais vu dans un endroit qui ressemblait à un jardin un peu flou. Et encore moins que j'avais été témoin d'une scène intime entre la dénommée Alicia et lui.

— Raconte !

Il attendait juste ça. Il avait besoin de partager sa belle histoire avec quelqu'un et, quoi que je puisse en penser à ce moment-là, j'étais toujours la personne la plus proche de lui.

La dénommée Alicia Rodriguez avait vingt-deux ans. Une vieille ! Elle était Sud-Américaine, plus précisément une Argentine de Buenos Aires. Ça expliquait les concerts de tango dont Max nous régalait généreusement depuis peu. Elle était à Montréal pour ses études. Très douée pour les langues, elle voulait devenir interprète en anglais, en français et peut-être aussi en mandarin. Elle était inscrite au Département de littératures et de langues modernes de l'Université de Montréal. Et, comme beaucoup d'étudiants, elle travaillait quelques heures par semaine pour arrondir sa bourse d'études ou le petit pactole que ses parents lui envoyaient chaque mois.

— Elle est tellement belle ! Si tu la voyais ! Des cheveux blonds très longs. Des grands yeux noisette et une peau blanche et très douce. Et elle est presque aussi grande que moi, t'imagines ! Pourtant, je suis pas ce qu'on pourrait appeler une demi-portion. Et puis, elle danse tellement bien... surtout le tango !

— Le tango ?

— Eh, oui ! Le tango argentin. Un truc hyper compliqué avec des figures pas possibles qui tournent et retournent. Ça demande beaucoup de souplesse et de concentration.

— Tu danses ça avec elle ?

— Non ! Faut pas mal d'heures de pratique pour pas avoir l'air ridicule. Mais je l'ai vue danser dans un bar de latinos où elle m'a emmené. C'était assez géant. D'ailleurs, avant de venir ici, elle dansait le soir dans une boîte de Buenos pour ramasser une partie de l'argent de ses études.

Une danseuse de bar! On était mal partis! Je voyais déjà la tête des parents lorsqu'il allait leur raconter ça...

— J'ai pas de conseils à te donner mais tu ferais mieux de taire ce détail lorsque tu t'expliqueras avec les parents.

— C'est pas du tout ce que tu crois. Rien à voir avec les filles d'ici qui font des danses à dix piastres, autour d'un poteau. En Argentine, le tango, c'est presque sacré, c'est un art qui s'enseigne dans les écoles et qui est bien vu partout, même dans la haute société.

— Peut-être, mais t'auras bien du mal à convaincre papa.

— Ouais! T'as raison.

Le silence s'installa entre nous. Les deux mains sous la tête, les yeux vagues, Big Max n'était plus avec moi. Il était quelque part avec sa belle latino blonde... comme si les filles d'Amérique du Sud avaient le droit d'être blondes! Il était follement amoureux, c'était clair. Je ne l'avais jamais vu avec un air aussi débile sur la figure, lui qui, tout récemment encore, regardait les filles de haut – à part moi, bien sûr ! Soudain, j'ai eu une envie folle de le ramener sur terre sans escale.

— Et tu couches avec elle ?

— Isa !

Incroyable mais vrai : mon frère avait rougi, du front au menton. Il s'était redressé sur un coude et me regardait avec un air courroucé. Mais il n'avait pas besoin de parler. La flamme de son regard criait l'évidence. Oui, il faisait l'amour avec elle. Il connaissait son parfum, la douceur de sa peau, sa chaleur, les coins secrets de son corps... À ce moment-là, j'ai ressenti de l'envie et, je dois bien l'avouer, une pointe de jalousie. Cette latino, elle était en train de me voler mon complice de toujours ! J'ai baissé les yeux la première.

— S'xcuse-moi, Max. J'aurais pas dû te demander...

— De toute façon, je suis sûr que t'en sais pas mal plus long que tu veux bien le dire. Pas vrai ?

C'était la première fois qu'il faisait allusion à mes pouvoirs « spéciaux » depuis qu'on était rentrés de Bretagne. On était sur un terrain glissant. J'ai préféré faire évoluer la conversation dans une autre voie.

— Faudrait tout de même pas que tu découches tous les soirs. Papa l'acceptera pas. On vient juste de commencer le cégep. Tu te fais un peu de fric à ton café, mais tu sais pas du tout si tu vas pouvoir y rester longtemps. En clair, ça veut dire que t'es pas autonome et que t'as encore besoin des parents. Ils le savent bien. Va falloir que tu fasses des concessions, sinon, ça va être invivable dans la maison, pas seulement pour toi mais pour nous quatre.

— Il m'empêchera pas de voir Alicia.

— Qui ça, papa ?

— Qui tu veux que ce soit ? C'est toujours lui qui nous impose sa morale du Moyen Âge.

— T'exagères ! Moi, je trouve qu'il a pas entièrement tort. Et c'est bien normal qu'il prenne à cœur tes études, surtout si tu foxes tes cours spéciaux deux fois sur trois. Ça va donner quoi à la fin de l'année ? T'as beau être un petit génie en maths, faut tout de même pas débloquer à ce point-là.

— Ouais !

— J'ai un truc à te proposer. Si on sait tout le temps où tu es, tes absences risquent de passer un peu mieux. Qu'est-ce que tu dirais si on partageait ton cellulaire ? Tu pourrais demander un deuxième appareil pour moi. Je suis même prête à le payer. Et on s'en servirait uniquement en cas d'urgence. Au moins, je pourrais rassurer Jacinthe et l'empêcher de pleurer toutes les larmes de son corps en t'imaginant congelé à la morgue.

— Ouais ! C'est plein de bon sens ton idée, Frangine ! Je m'en occupe et pas question que tu mettes tes sous là-dedans.

Il n'avait pas été difficile à convaincre. Il se leva d'un bond et me tapa dans les mains.

— Marché conclu ! Je vais essayer de rattraper un peu mon retard en maths avant le grand sermon du paternel. Au fait, tu veux la connaître, Alicia ?

— Ben…

— Elle aussi, elle veut te connaître. Je lui ai beaucoup parlé de toi.

— Si ça te fait plaisir, je suis bien d'accord pour rencontrer celle qui a fait craquer mon frérot sur toutes ses coutures.

Il a rigolé comme un gamin. Puis il s'est enfermé dans sa chambre. Il a fait jouer un ou deux airs de tango, histoire de se mettre dans l'ambiance. Comment faisait-il pour travailler au rythme de cet accordéon grinçant qui n'appartenait ni à notre âge ni à notre continent ?

Lorsque les parents sont rentrés, Max a été « officiellement » convoqué dans le bureau de papa, au sous-sol, avec maman. Moi, je suis restée devant ma nature morte jusqu'à ce que je n'en puisse plus. Je n'entendais rien de ce qui se disait en bas, mais cette absence de hurlements était bien plus menaçante que tout. Je suis descendue à la cuisine pour préparer la salade et faire réchauffer le pâté chinois que maman avait préparé la veille au soir en mouillant une quantité phénoménale de Kleenex. Ensuite, j'ai mis la table et j'ai patienté jusqu'à 19 h 30.

Une heure de sermon, ça commençait à bien faire ! Il avait le don d'exagérer, Pierre. Quand il se lançait dans ses diatribes sur les dangers de la société, le respect dû aux parents et l'inconscience des jeunes générations, sans parler de leur impolitesse, il n'y avait plus moyen de l'arrêter. J'ai donc ouvert la porte du sous-sol sans y avoir été invitée, en claironnant que le pâté chinois allait être carbonisé si on attendait encore et que, moi, j'avais l'estomac dans les talons. Jacinthe m'a lancé un regard reconnaissant et elle s'est levée. Papa est resté suspendu au milieu d'une phrase. Max, lui, avait l'air absent. Il avait fermé les écoutilles et n'avait pas entendu le quart des hautes vérités que le paternel lui avait balancées.

Le souper n'a été beaucoup plus folichon que la veille mais, au moins, on était tous les quatre et on n'avait pas lieu de s'inquiéter puisque Big Max avait réintégré la tanière familiale. Du moins pour le moment.

Juste avant d'aller me coucher, je suis allée aux nouvelles. Dans sa chambre, les écouteurs vissés aux oreilles, il planchait sur ses équations devant son écran d'ordi. J'ai posé ma tête contre la sienne.

— Qu'est-ce qu'il t'a dit ?

— Des trucs débiles ! Privé de sorties... plus d'argent de poche... contrôle régulier de mes présences au cégep avec mon prof principal... tu vois un peu. Il me traite comme un minus de maternelle.

— Tu vas faire quoi ?

Max grinça des dents, l'œil mauvais. D'un geste brusque, il jeta ses écouteurs sur la table et ferma son ordi sans prendre la peine d'enregistrer ce qu'il venait d'étudier.

— S'il croit qu'il va m'empêcher de faire ce que je veux, il se trompe, le pater... Autant qu'il se fasse une raison, sinon je fous le camp d'ici.

— Max, essaie de le comprendre. Mets-toi à sa place !

— Je suis pas à sa place, et lui, il a oublié qu'il a été jeune un jour.

— Tu leur as parlé d'Alicia ?

— Ben non, t'imagines le drame !

— Mets de l'eau dans ton vin, Maxou. Tiens-toi tranquille pendant quelques jours, le temps que les choses se tassent.

— Personne pourra m'empêcher de la voir, t'entends ? PERSONNE !

Notre petite vie tranquille de famille parfaite venait de voler en éclats. Ça promettait pour les temps à venir.

Max s'est tenu à carreau pendant une grosse semaine. Rentré à l'heure, assidu à ses cours, il a même réussi à rattraper son retard en maths. Un exploit qui lui a valu toute mon admiration. Un élève et un fils modèle, quoi ! Juste le temps de calmer papa et de rassurer maman. Car la trêve n'a pas duré longtemps. Dans le courant de la fin de semaine suivante, il a largement dépassé son heure de couvre-feu, et moi, j'ai commencé à le couvrir avec des mensonges gros comme ça. Du genre, il fait des heures supplémentaires, ou encore, il remplace quelqu'un qui est malade au Starbucks alors que je savais pertinemment qu'il est en train de danser le tango – ou autre chose – dans les bras de sa belle latino.

Évidemment, les vieux n'ont pas été dupes longtemps. Les hurlements ont recommencé au sous-sol. Mais, fin renard, Max a eu l'habileté de ne plus foxer ses cours spéciaux et il s'est mis à récolter des notes super alpha. Papa ne pouvait donc plus lui reprocher de «gaspiller son avenir», de «sombrer dans la médiocrité» ou encore de «devenir la honte de la famille». On s'est donc installés dans un climat maussade où l'orage risquait à tout moment d'éclater. Maman et moi, on faisait tout pour arrondir les angles, mais l'antagonisme montait entre le père et le fils.

Maxou avait tenu sa promesse et je me baladais avec un cellulaire dernier cri dans mon sac à dos ou ma poche. J'avais reçu des consignes précises: interdiction d'ouvrir et de lire les textos qui lui étaient adressés ou de consulter son fichier de contacts. Pour le reste, je pouvais me servir du gadget aussi souvent que je le voulais, dans des limites raisonnables, car il n'était pas question non plus de faire exploser son forfait.

Je grillais de connaître la dénommée Alicia mais il n'avait plus été question d'organiser une rencontre avec elle et je bouillais d'impatience.

J'attendais. Je me doutais qu'il allait se passer quelque chose. Je n'ai donc pas été surprise lorsque mon cellulaire s'est mis à vibrer dans ma poche, deux jours plus tard, dans la soirée. Lorsque j'ai décroché, j'ai à peine reconnu la voix de Max.

— Isa, c'est toi? Qu'est-ce que tu fichais? Ça fait dix minutes que je t'appelle!

— Eh, ho! T'exagères! J'ai même pas pris trente secondes pour décrocher. C'est quoi le problème?

— Je sais pas au juste. Faut que tu viennes tout de suite. Alicia est super malade. Ça l'a prise d'un seul coup. Elle se tord de douleur dans son lit. Je suis en train de perdre les pédales.

— Qu'est-ce que tu veux que je fasse? Je suis pas médecin. Le mieux à faire ce serait de l'emmener à l'hôpital, non?

— Elle veut pas... et ici, elle a pas de médecin de famille et je sais pas s'il y en a un à l'université qui s'occupe des étudiants étrangers. Et puis, j'ai pensé... que tu pourrais sûrement l'aider. Tu l'as bien fait avec la vieille dame en Bretagne...

Tiens, tiens! Il se souvenait tout d'un coup des talents particuliers de sa sœur. Ce qui me donna une juste idée de l'état de panique dans lequel il se trouvait. J'ai ressenti une subtile excitation, comme une sorte d'appel mystérieux. On me demandait. On avait besoin de moi. J'avais envie d'y aller... c'était tout simple.

— Dis-moi où!

— 25, rue Saint-Sulpice, dans le Vieux. Tu prends un taxi. Appelle-moi quand tu seras presque arrivée. Je descendrai. Grouille !

Le temps d'appeler Justine, ma *best* (après Max, bien sûr), d'inventer un mensonge plausible pour les parents où il était question de travail d'équipe, de notes perdues et d'urgence à mettre en commun nos efforts, et j'étais déjà partie à la course vers la station de taxis. En moins de quinze minutes, j'arrivai à destination. Max m'attendait en piétinant sous le porche de l'immeuble. Il jeta un vingt au chauffeur, sans même réclamer sa monnaie, et m'entraîna à toute vapeur dans les escaliers, sans me laisser le temps de respirer. Quatrième étage sans ascenseur.

Arrivée tout là-haut, j'étais à bout de souffle lorsque je passai le seuil du petit appartement d'Alicia, tous les sens aux aguets. Mais ce qui m'attendait était bien au-delà de tout ce que j'aurais pu imaginer.

Incroyable ! Il n'y a pas d'autres mots pour décrire cet endroit. Un studio modeste, avec un coin cuisine et une porte qui devait ouvrir sur une mini-salle de bains. Jusque-là tout ce qu'il y a de plus ordinaire. Seulement voilà, dans cet espace restreint qui ne devait pas mesurer plus de cinq mètres sur sept, il y avait des plantes et des fleurs partout : un immense palmier en pot qui occupait presque le quart de l'espace, des lierres qui dégringolaient du plafond, d'immenses fougères suspendues dans la lumière des vitres, un immense bouquet de fleurs coupées sur la table, des violettes africaines de toutes les couleurs un peu partout. C'était complètement fou ! Bien beau d'aimer les plantes et les végétaux, mais là, on était en plein délire horticole. Et il faisait une chaleur d'enfer dans cette jungle amazonienne. Une subtile odeur d'eau croupie et de fleurs fanées me prit à la gorge. J'étouffais. Je suffoquais. Comment faisaient-ils pour survivre dans une étuve pareille ? Et avant de voir quoi que ce soit d'autre, j'aperçus nettement une écœurante nuée grise qui polluait tout l'espace et ternissait les couleurs vives des fleurs et des plantes. Je compris soudain pourquoi j'avais vu mon frère dans une sorte de serre avec en arrière-plan une masse de couleurs brouillées. C'était ça, exactement ça !

Sans réfléchir, je me suis dirigée vers le coin cuisine, j'ai viré les trois pots de géraniums qui se disputaient l'espace et j'ai ouvert en grand la fenêtre pour laisser entrer un peu d'air frais. C'était la première chose à faire. Avec une lenteur visqueuse, l'invisible nappe grise s'échappa vers l'extérieur. Je pouvais maintenant me soucier d'Alicia.

Elle était recroquevillée sur un futon ouvert qui devait être replié durant la journée. J'ai vu une masse de cheveux blonds sur un oreiller bleu et un petit visage apeuré où d'immenses yeux dorés m'appelaient au secours. Drôle de façon de faire connaissance ! Alicia grelottait sous ses couvertures. Son front couvert de sueur, ses pommettes rougies par la fièvre, ses mâchoires crispées... j'ai bien failli tourner le dos à toute cette souffrance et dévaler les escaliers pour retourner à la maison. Mais je ne pouvais pas laisser Max dans une situation aussi merdique. Et puis, il y avait quelque chose qui m'attirait chez cette fille : une sorte de déprime qui allait bien au-delà du malaise physique qu'elle endurait. Et moi, j'étais une Consolante. Ce don m'avait été donné pour que j'apporte la paix à ceux qui en avaient besoin. Je ne pouvais pas me défiler.

J'ai fait signe à Max de dégager. Il a compris au quart de tour et il est allé s'enfermer dans la salle de bains. Tout doucement, je me suis assise à côté d'Alicia sur un coin de sa couverture. En me concentrant, j'ai essayé de construire une barrière mentale entre elle et moi afin de me protéger, comme Mamicha me l'avait enseigné. En priant pour que ça marche. Je lui ai parlé avec une voix qui n'était pas tout à fait la mienne et qui contenait une sagesse qui ne m'appartenait pas encore.

— Alicia, tu m'entends ? Tu me comprends ?

Trop épuisée pour me parler, elle se contenta d'un petit signe de tête.

— Alors, laisse-toi faire. Ne résiste pas. D'accord ?

Je me suis étendue de tout mon long contre elle, mes deux bras autour de sa taille. J'ai serré contre moi son grand corps fiévreux en appelant silencieusement à l'aide. Pendant quelques minutes, il ne s'est rien passé du tout. Puis, insidieusement, la douleur d'Alicia s'est mise à couler vers moi et a envahi mon corps transformé pour l'occasion en éponge. Ma barrière mentale n'était pas tout à fait au point car ce fut horrible. Une brûlure intense, comme j'ignorais qu'il puisse en exister, prit possession de mon bas-ventre, me coupant le souffle et me cisaillant de spasmes. S'il n'y avait eu que le mal physique que j'endurais, je crois que j'aurais pu m'en dissocier suffisamment pour ne pas en pâtir… mais il y avait autre chose. Je sentais chez Alicia une détresse profonde, un fatalisme tragique qui déclenchait toute ma compassion et qui m'empêchait d'agir avec neutralité.

À un moment donné, j'ai tenté de m'écarter d'elle, tant ce contact brûlant était insupportable, mais elle m'enserrait de ses bras comme une pieuvre, avec l'énergie du désespoir. Elle sentait que je la soulageais d'une partie de son fardeau et elle ne voulait pas que ça s'arrête. Je me suis mise à pleurer et j'ai cessé de résister.

Je ne sais pas combien de temps nous sommes restées ainsi, collées l'une à l'autre. Les brûlures que nous partagions se sont faites plus ténues, plus lointaines. Mes larmes se sont taries. Tout doucement, Alicia a glissé dans un sommeil paisible. L'étau de ses bras s'est desserré et j'ai été libérée de sa peine. Je suis restée un long moment à la regarder, me demandant d'où lui venait ce poids qui empoisonnait son âme. J'avais su mettre un frein à sa douleur physique mais je n'avais rien pu faire pour la consoler vraiment. Cette inconnue, mon amie, ma sœur, ma semblable cachait un mystère obscur sous sa beauté lumineuse.

Dès que j'ai pu me remettre debout, j'ai appelé Max. Je ne me sentais pas bien du tout, comme si j'avais été tabassée dans le fond d'une ruelle. Le premier regard de mon frère fut pour la belle au bois dormant qui rêvait paisiblement au milieu de ses fleurs. Un demi-sourire soulagé effaça les plis soucieux de son front… juste avant de me regarder d'un air épouvanté.

— Isa ! Mais qu'est-ce qui s'est passé ? T'as pas vu ta tête ?

— Je l'ai soignée, ta copine. C'est bien ce que tu voulais ? Maintenant, si tu crois que ça se fait sans en payer le prix, tu te trompes ! C'est bien plus dangereux que tu peux l'imaginer.

— Mais qu'est-ce qu'elle a, Alicia ?

— Je crois qu'elle se paie une cystite... une infection urinaire, si tu préfères. Pas très rigolo quand on n'a pas les médicaments requis. Tu pisses du feu et du sang. J'ai réussi à la soulager pour qu'elle récupère un peu, mais il va falloir qu'elle consulte au plus vite un doc. À l'université, il y a sûrement un cabinet médical pour les étudiants étrangers. Moi, je suis pas capable d'en faire plus !

Je devais avoir l'air assez misérable car Max m'a serrée fort contre lui. Il m'a aidée à remettre mon coupe-vent et il s'est chargé de mon sac à dos. Dans le petit miroir de l'entrée, j'ai aperçu mes yeux enfoncés dans de grands cernes mauves. Pas beau à voir ! Avant de sortir, j'ai jeté un dernier regard à cet endroit inimaginable. La fenêtre était toujours ouverte. Il faisait frais et la nuée malsaine s'était complètement dissipée. Les fleurs et les plantes semblaient ragaillardies et rutilaient dans la lumière des lampes. J'ai fermé la porte sur le sommeil fleuri et paisible d'Alicia.

Max était tiraillé. Devait-il rester avec Alicia ou rentrer avec moi à la maison? Comme Alicia dormait paisiblement et qu'il ne pouvait rien faire de plus, il a appelé un taxi. Une autre folle dépense! Nous sommes sortis de la voiture à deux rues de la maison et nous avons réintégré le rassurant cocon familial. Juste avant que je ne m'écroule sur mon lit, Maxou m'a fait un câlin et il a chuchoté dans mes cheveux un «Merci Frangine!» mouillé. Il était bien plus ébranlé qu'il ne l'aurait avoué sous la torture, le frérot.

Et la vie a repris son traintrain routinier: école, travaux, Starbucks, absences nocturnes de Max, mensonges, engueulades à la maison… Mon frère n'avait pas changé ses habitudes d'un poil. Alicia avait consulté un médecin et elle était maintenant complètement remise de son malaise. Tout était donc pour le mieux dans le plus bancal des mondes!

Juste au moment où je commençais à m'étonner du silence prolongé d'Alicia à mon égard – je lui avais quand même rendu un petit service –, Max m'invita officiellement à la rencontrer le lendemain, après mes cours, au Starbucks où ils travaillaient, pour prendre un café.

J'avais un peu le trac en me préparant pour cette grande rencontre et j'ai particulièrement soigné mon apparence. Comme le faisait Mamicha dans sa folle jeunesse, j'ai donné cent coups de brosse à ma crinière de feu pour faire mousser mes boucles en nuage. Et je me suis maquillée légèrement. Une fois n'est pas coutume. Mon meilleur jean, mon beau pull blanc en mohair… pas question que je ressemble à un épouvantail. Mon coupe-vent n'était pas très net aux entournures mais je n'en avais pas d'autres et j'hésitais à piquer le manteau de Jacinthe.

Le café était presque vide. Alicia et Max m'attendaient dans un coin, serrés l'un contre l'autre en se chuchotant des secrets qui n'appartenaient qu'à eux. Ils étaient beaux tous les deux : le profil parfait de mon frère… la douceur nacrée de la peau d'Alicia… sa queue de cheval blonde d'où s'échappaient des petites frisettes folles… Mon cœur se serra. Je n'avais jamais remarqué à quel point Max était sexy. Pour moi, il avait toujours été mon frère, un point c'est tout. Mais là, sur cette banquette recouverte de tissu fleuri, je le voyais pour la première fois avec les yeux d'une pure étrangère.

Ils se levèrent tous les deux d'un même élan lorsqu'ils m'aperçurent. Max fit les présentations officielles, même si on se connaissait déjà. Je déposai mes affaires sur une chaise et je m'assis devant eux. Mon frère s'empressa d'aller me chercher un cappuccino recouvert de chocolat en poudre, comme je les aimais, trop content de s'éloigner. Les yeux scotchés l'une sur l'autre, Alicia et moi on se regardait sans rien pouvoir se dire alors qu'on avait partagé ensemble une expérience inoubliable.

Elle était belle, cette fille ! Sans maquillage aucun, elle aimantait vers elle tous les regards. Elle avait une petite bouche charnue, très rouge, qui faisait contraste avec la pâleur de sa peau. Ses grands yeux ambrés, étirés sur les tempes, souriaient plus que sa bouche, mais ils abritaient toujours cette ombre que j'avais vue lorsqu'elle gisait sur son lit. Un lys pur guetté par la boue. On ne pouvait rester insensible à son charme et je compris à quel point mon frère était vulnérable à sa séduction.

Par-dessus la table, elle serra mes mains dans les siennes d'un geste spontané et chaleureux.

— Tu vas bien, Isabelle ?

— Ben oui, et toi ?

Elle parlait français sans même une pointe d'accent. Vraiment douée pour la musique ! La conversation démarra, un peu laborieuse. On n'avait pas vraiment besoin ni envie de se parler. Max était revenu s'asseoir avec nous. Il papillonnait de l'une à l'autre, forçant un peu sur les platitudes.

J'ai tenu le coup un quart d'heure. Fallait pas m'en demander trop. Ensuite, prétextant des travaux urgents à finir, je me suis levée en leur adressant mon plus charmant sourire. Alicia s'est alors penchée et, de dessous la banquette, elle a fait apparaître un immense bouquet emballé dans du papier de soie que je n'avais pas aperçu auparavant.

— Pour toi, Isa ! Pour te remercier avec les mille couleurs des fleurs que j'aime.

Je suis restée stupidement à la regarder pendant une bonne minute, ne trouvant rien d'autre à lui dire qu'un petit « merci » minable. Et sur un dernier geste de la main, j'ai quitté leur bulle et je suis partie rejoindre les classes laborieuses qui se bousculaient dans le métro à l'heure de pointe.

Coincée dans un wagon, les bras encombrés par l'immense présent d'Alicia, je réfléchissais à toute vitesse et les questions sans réponses se bousculaient au portillon. M'offrir des fleurs pour me remercier ? C'était gentil. Mais pourquoi un si gigantesque bouquet ? Un petit aurait suffi… ou, à la rigueur, une des plantes qui encombraient son appart… ou encore mieux, une petite boîte de Ferrero Rocher puisque Max connaissait ma passion pour lesdits « rochers ». Alicia était étudiante et, comme tout étudiant, elle ne devait pas rouler sur l'or. Où trouvait-elle l'argent pour acheter la débauche de fleurs et de plantes qui vampirisait son appartement? Au poids qu'il pesait, le bouquet que j'essayais de maintenir hors de portée des bousculades valait pas mal d'heures au salaire minimum. Et qu'est-ce que j'allais en faire de ce bouquet? Un peu lunaire sur les bords, papa ne le verrait peut-être pas, mais maman allait sûrement me questionner. Qu'est-ce que je pouvais inventer pour justifier une pareille folie puisqu'il n'était pas question de parler d'Alicia à la maison? Max avait vraiment le don de me placer dans des situations impossibles.

J'ai eu un instant la tentation de flanquer le bouquet dans la première poubelle venue mais j'y ai renoncé. Alicia avait sûrement travaillé très dur pour me faire ce plaisir. Par chance, la maison était vide lorsque je suis entrée. J'ai donc traîné le bouquet jusqu'à ma chambre et je suis partie à la recherche d'un vase assez grand pour accueillir tous les végétaux qu'il contenait. En cherchant bien, j'ai découvert au fond du bahut de la salle à manger une cruche en poterie qui ferait l'affaire.

Trois épaisseurs de papier de soie plus tard, j'ai enfin découvert mon cadeau. Surréaliste! Un amalgame hétéroclite de presque toutes les fleurs de l'univers, couché sur un lit de verdures frisées. Un oiseau du paradis, des roses rouges, des giroflées mauves, des œillets, des branches de chrysanthèmes jaunes, des grandes marguerites blanches et une bonne douzaine d'autres que je ne savais pas comment nommer. Les parfums suaves, sucrés et poivrés de l'ensemble se mélangeaient en une étrange symphonie. Pour le moins bizarre ! Comme si Alicia était allée picorer dans plusieurs bouquets pour en faire un seul.

Comme je commençais à couper les tiges pour les arranger dans mon vase, je me suis sentie tout étourdie et j'ai soudain manqué d'air. Je suffoquais. Exactement la même sensation que lorsque j'étais entrée dans l'appartement d'Alicia. L'alerte rouge s'est mise à clignoter dans ma tête. Quelque chose d'anormal était en train de se passer. J'ai reculé jusqu'au couloir pour reprendre mon souffle et j'ai regardé intensément les fleurs rangées sur ma courtepointe. L'impalpable nuée cendrée était là, ternissant les couleurs de son halo malsain, dardant ses tentacules presque invisibles vers moi. J'ai connu un instant de panique absolue.

Respirer à fond. Faire le vide. Fermer les yeux jusqu'à ce que je retrouve mon calme… J'ai commencé par ouvrir ma fenêtre pour chasser la nuée malsaine. Puis, j'ai attrapé les fleurs d'une seule brassée. Sans reprendre ma respiration, j'ai couru les jeter dans le bac à compost de Jacinthe, tout au fond du jardin. De retour dans ma chambre, j'ai secoué ma courtepointe au-dehors. Et enfin, j'ai pu souffler. Juste à temps car j'ai soudain entendu ma mère. «Tu es rentrée depuis longtemps, ma chatonne?» Trop contente d'échapper à ce moment d'étouffante solitude, j'ai dévalé l'escalier et je me suis précipitée dans ses bras, comme je le faisais quand j'étais petite.

Maman a souri, un peu étonnée, et m'a bercée doucement. Revenant sur terre et m'entraînant vers la cuisine, elle a murmuré à mon oreille qu'il fallait préparer le souper et que ce serait vraiment cool si je l'aidais à éplucher les pommes de terre. On a éclaté de rire en même temps. J'ai sorti un couteau en marmonnant que c'était toujours les mêmes qui se tapaient les corvées. Mais ma mère avait cessé de rigoler et me fixait avec inquiétude.

— Isa… tes mains. Qu'est-ce qui t'est arrivé?

Mes doigts et mes paumes étaient rouge brique, gonflés et couverts de cloques qui commençaient à me démanger furieusement. Avec horreur, j'ai regardé mes mains comme si elles ne m'appartenaient pas. Mais il ne fallait surtout pas inquiéter Jacinthe avec cette histoire de fous de fleurs maléfiques. Je ne manquais pas d'imagination, une chance !

— Je dois faire une allergie à quelque chose qui se trouve dans l'atelier de gravure. Avec tous les solvants, les produits chimiques et autres cochonneries qui se trouvent là-dedans… Je vais tremper mes mains dans l'eau froide… pas grave, m'man. Pas de souci.

Encore un pieux mensonge. Mais moi, je savais bien que les fleurs d'Alicia y étaient pour quelque chose.

Dire qu'il y avait un mystère là-dessous était une évidence. Après les avoir enduites de pommade calmante, je regardais mes mains agressées par les fleurs maudites et je n'y comprenais plus rien. Pourquoi avais-je réagi ainsi ? Je me suis subitement souvenue d'une chanson de mon enfance où il était question d'une reine trahie qui faisait fabriquer un bouquet empoisonné pour éliminer une rivale tombée dans l'œil de son royal époux.

La reine a fait faire un bouquet de fleurs de lys blanches

Et la senteur de ce bouquet a fait mourir Marquise…

Je ne pouvais pas croire qu'Alicia était malfaisante à mon endroit. Je n'étais pas son ennemie. Quelle raison aurait-elle eue de me faire du mal ? Non, il y avait sûrement autre chose. Mais quoi ?

Seule façon de le savoir : espionner ses faits et gestes ! Et ça, j'étais bien armée pour le faire, sans bouger d'un poil de ma chambre. Les deux journées suivantes, dès que j'avais un moment libre, je partais à la recherche d'Alicia, traquant son image à m'en faire exploser la tête. Je l'ai donc vue à ses cours, dans le métro, à la cafétéria de l'université, en train de servir des clients au Starbucks. Rien que de très normal.

J'ai bien failli abandonner ma filature virtuelle. Je me branchai sur elle pour la dernière fois quand l'événement décisif est survenu.

Il fait très beau. Les arbres flamboient dans les derniers rayons de soleil de cette fin d'après-midi. Alicia marche d'un pas vif sur le chemin de la Côte-des-Neiges. Elle vient de sortir du métro, un grand sac de toile se balançant à son bras. Elle se dirige presque à la course vers un imposant portail en fer forgé largement ouvert. Elle s'engage sur une route asphaltée qui mène à une pelouse parsemée de feuilles mortes. Des croix partout. Elle se trouve dans un immense cimetière aux pentes vallonnées : le cimetière Notre-Dame-des-Neiges, sur le mont Royal, le troisième plus vaste cimetière d'Amérique du Nord et peut-être du monde entier. Soixante-dix kilomètres de routes goudronnées, des centaines d'allées de gravier, d'innombrables sentiers tracés par les pas des vivants qui sinuent entre les demeures des morts. Comme dans leurs vies oubliées, les morts sont regroupés en ethnies : le coin des Polonais, le quartier des Italiens, la terre d'exil des Irlandais, l'îlot des Grecs, le purgatoire des Juifs, la colline des Anglais, le village des Français… Il y a même un carré de petites tombes blanches : le parterre des enfants morts qui jouent entre eux dans l'au-delà.

Le lieu respire une paix intemporelle. Partout des grands érables aux couleurs de feu qui pleurent des gouttes de lumière sur le vert acide des pelouses. Le ronron de la ville au-delà des grilles est à peine audible. Le grand concert automnal des oiseaux migrateurs est presque assourdissant. Quelques papillons monarques attardés rendent leurs derniers battements d'ailes dans les buissons mauves des asters. Pour eux, c'est la fin du voyage.

Alicia sait où elle va. Elle traverse une vaste esplanade où se trouve le mausolée. Un peu plus loin, elle contourne plusieurs serres et s'engage dans un sentier qui s'élève vers le faîte du cimetière. Un endroit de repos y est aménagé : deux bancs se font face sur une dalle de béton pour que les visiteurs solitaires puissent profiter de la vue à cent quatre-vingts degrés qui s'offre à eux. La ville commence à s'allumer dans la brume nocturne. Alicia s'arrête devant un enclos grillagé en regardant de tous les côtés à la fois. Personne en vue. Elle pousse une petite barrière. Elle se trouve dans la déchetterie, là où l'on jette les couronnes fanées, les plantes séchées, l'herbe tondue des pelouses : immense compost sans cesse enrichi où agonisent les derniers souvenirs.

La jeune femme se penche. Une croix de roses rouges, chamarrée de glaïeuls, attire son regard. Les roses s'émiettent mais les glaïeuls sont encore fringants. Elle sort un sécateur de son sac de toile et commence à séparer ce qui est vraiment fané de ce qui est encore regardable. Un peu plus loin, elle fait le tri dans une gerbe d'œillets, elle rejette un géranium mort de soif, elle récupère un bégonia à moitié enfoui qu'elle va pouvoir replanter... Jolie récolte en ce frileux crépuscule d'octobre. Elle frotte ses deux mains l'une contre l'autre, essuie son sécateur dans l'herbe et couche soigneusement toutes les fleurs rescapées dans son grand sac. La nuit est presque tombée. L'heure du Chien est passée. Celle du Loup prend possession de l'espace. Le cimetière va bientôt fermer ses portes. Il est temps de partir.

La grande fille redescend de son pas dansant vers l'entrée principale. En longeant le village des Français, elle aperçoit un superbe pot de chrysanthèmes blancs sur une tombe dont la stèle de granit vient tout juste d'être posée. Le mort qui repose en ces lieux n'est pas encore tombé dans l'abîme d'oubli des vivants. Alicia se penche. C'est plus fort qu'elle. Le pot de chrysanthèmes disparaît dans le grand sac de toile. Elle le voit déjà dans son appartement jardin, près de la fenêtre qui ouvre sur la ruelle, irradiant un peu de gaieté dans cet endroit sombre. Mais les fleurs des morts peuvent-elles être gaies ? Le sac est maintenant bien rempli.

Juste au moment où elle va traverser le terre-plein de l'entrée, elle rejoint un habitué des lieux qu'elle croise souvent. Il marche à petits pas pressés vers la grille en s'appuyant sur une canne à pommeau d'argent. Ses cheveux de neige retombent artistiquement sur le col de son pardessus noir, coquetterie de vieux monsieur. C'est un beau vieillard aimable. Alicia l'aime bien. Il vient chaque jour rendre visite à sa femme qui repose depuis longtemps dans le quartier des Italiens. Dès qu'il l'aperçoit, il s'arrête et la salue avec la grâce distinguée d'une autre époque. Ils ont toujours le temps d'échanger quelques banalités. Le vieux monsieur a deviné depuis longtemps le but des expéditions d'Alicia. Parfois, il se permet même d'être son gentil complice en lui indiquant telle ou telle tombe qu'on vient d'ensevelir sous les fleurs rares. Comme il vient ici tous les jours, il est aux premières loges pour assister aux enterrements somptueux qui surviennent dans un quartier ou l'autre.

Comme chaque fois qu'elle le rencontre, Alicia s'enquiert de sa santé : « Comment allez-vous, Monsieur Roberge. Avez-vous besoin de quelque chose ? » Peut-elle lui rendre service en allant faire une course ou l'autre pour lui ? Avec une exquise politesse, le vieillard décline tous les débordements de sympathie de la jeune femme. Il n'a besoin de rien. Il la remercie de sa gentillesse. Parfois même, il s'incline vers elle et saisit sa main pour un baisemain à l'ancienne.

Alicia lui dédie son plus joli sourire, mais son cœur se serre de tristesse en constatant à quel point le vieil homme est solitaire et semble abandonné par la vie. Elle contemple le visage raviné de rides et la silhouette fragile qu'un coup de vent pourrait emporter. Pourquoi fait-il encore partie des vivants alors que tout ce qui l'attachait à la vie n'est plus ?

Ils se séparent sur le trottoir de la Côte-des-Neiges. Alicia tourne les talons et redescend vers la station de métro en balançant le sac qui contient son trésor du jour. Le dénommé Roberge la regarde s'éloigner en direction du bruit et des lumières. Il soupire. Puis, à petits pas comptés, il reprend sa route habituelle et rentre chez lui où personne, jamais, ne l'attend.

Sidérée ! J'étais complètement mystifiée par ce que je venais de voir lorsque j'ai refait surface dans le calme familier de ma chambre. C'était incroyable ! Cette belle fille dont mon frangin était dingue se baladait comme une vieille habituée, au soir tombant, dans le plus grand cimetière de la ville. Sans vergogne aucune, elle volait les fleurs des morts. Elle n'avait vraiment peur de rien. Si je n'avais pas vu – de mes yeux vus – l'expédition macabre d'Alicia, je n'aurais jamais cru une chose pareille !

Avec effroi, je réalisai en rétrospective d'où provenait l'immense bouquet qu'elle m'avait offert et qui se transformait en pourriture, quelque part au fond du jardin. C'était glauque et j'en frissonnai de malaise. Je compris pourquoi les fleurs avaient l'air si chiffonnées. Elles avaient déjà vécu tout ce qu'une fleur peut vivre et portaient en leur cœur le poids du chagrin et du deuil.

Elle était vraiment folledingue, cette fille. J'imaginais très bien la suite. Je la voyais, toute contente, montant les quatre étages de son pas de danseuse… retrouvant avec plaisir son jardin extravagant… remontant le thermostat de trois ou quatre degrés pour faire bonne mesure… arrangeant amoureusement les fleurs coupées dans un vase… replantant le bégonia rescapé dans un pot de terreau… disposant le pot de chrysanthèmes à l'endroit prévu… parfaitement à l'aise au milieu de toutes ces fleurs destinées aux morts. Alicia vivait au milieu des parfums de l'au-delà !

Je ne m'étonnais plus maintenant de la sensation d'étouffement qui m'avait prise à la gorge en entrant chez elle, de ce besoin incontrôlable d'ouvrir grand les fenêtres pour faire entrer l'oxygène vital et chasser la nuée aux multiples tentacules gris que toutes ces plantes pourrissantes diffusaient dans l'air raréfié. Comment faisait-elle pour vivre là-dedans ?

Évidemment, si je me risquais à raconter à mon frère la scène dont je venais d'être témoin, il allait me traiter de tous les noms d'oiseaux qu'il connaissait et y ajouter celui de menteuse. Ce n'était même pas la peine d'ouvrir la bouche. Pour le moment, je n'avais aucune idée de ce qu'il fallait faire. Mais j'allais trouver. Sûr et certain!

Le lendemain matin, lorsque j'ai ouvert les yeux, j'ai été éblouie par la luminosité qui inondait ma fenêtre. La première neige! Pour la petite fille du Nord que je suis, c'est toujours un moment magique. Et cette année, c'était encore plus précieux puisque la neige arrivait alors que les arbres étaient encore chamarrés de feuilles rougissantes. Je suis restée un long moment à ma fenêtre, admirant les gros flocons d'ouate qui tourbillonnaient dans les courants d'air. Une bonne odeur de café me tira de ma contemplation ravie et je descendis à la cuisine pour prendre le petit déjeuner en compagnie de mes parents qui écoutaient les infos à la radio, comme chaque matin. On n'y parlait que de la première chute de neige qui occasionnait de beaux bouchons aux quatre coins de la ville. On m'accueillit avec les sourires et les bisous d'usage et je m'installai à ma place devant un grand bol de chocolat chaud et un toast recouvert de confiture d'oranges. C'était réconfortant de me retrouver là, avec mon papa un peu bourru et ma maman poule, dans le décor rassurant que j'avais toujours connu.

Max se pointa quelques minutes plus tard, ébouriffé et les deux yeux dans le même trou. Il grogna quelque chose qui ressemblait à un bonjour, semant un petit bec distrait sur la tête de Jacinthe qui s'en contenta avec un sourire, adressant un vague signe de tête à Pierre qui le regarda en sourcillant. Pas de bagarre en vue puisqu'il n'avait pas découché et se levait à une heure « civilisée ». J'avais remarqué au passage que je n'avais même pas eu droit à un regard, ce qui me fit comprendre que mon frère avait une crotte sur le cœur à mon endroit.

Lorsque les parents partirent pour leurs écoles respectives, mon frère passa tout de suite en mode attaque.

— Et alors ? Elles sont où les fleurs d'Alicia ?

— Fanées !

— Au bout de deux jours seulement ?

— Eh, oui ! Au fond du jardin, dans le compost de Jacinthe.

— Tu te fous de moi ou quoi ? Pourquoi t'as fait ça ?

— Parce que c'était impossible de les garder ici. Qu'est-ce que je pouvais raconter aux parents pour justifier un pareil bouquet dans la maison ?

Elle y a pensé, ta latino ? Et toi, tu y as réfléchi deux secondes, hein ?

— Alicia a juste voulu te faire plaisir. C'est vraiment nul, Isa ! J'aurais jamais cru ça de toi.

Plutôt agressif, le frangin ! Et il m'énervait avec son ton moralisateur. Il avait tout intérêt à se fermer la trappe. Un mot de plus et je sentais que j'allais exploser. Évidemment, il a continué.

— Je me doutais bien que t'étais jalouse de ma blonde mais, de là à jeter ses fleurs...

Trop, c'était trop ! Je me suis levée brusquement en faisant tomber ma chaise et je lui ai mis mes mains encore couvertes de plaques rouges et d'ampoules mal guéries sous le nez.

— Et ça, tu sais ce que c'est, espèce de grand imbécile ?

— Tu fais une allergie à quelque chose ou tu t'es blessée ? J'en sais rien, moi !

— C'est en déballant les fleurs de ta copine que mes mains se sont couvertes de ces cochonneries. Et tu sais pourquoi ?

Et là, le reste est sorti tout seul. Je lui ai craché le morceau. Tout ! La balade d'Alicia dans le cimetière, son « magasinage » macabre dans le compost des fleurs mortes, son larcin d'un pot de chrysanthèmes sur une tombe, et même sa rencontre avec le vieux monsieur. Et j'ai terminé mon laïus par un argument imparable.

— Et si tu me crois pas, tu peux toujours lui demander où elle les prend, tous les végétaux qui empoisonnent son appart. Et où elle trouve le fric pour acheter tout ça, si c'est ce qu'elle fait ? Et tu peux vérifier facilement ce que je te dis : elle a mis le pot de chrysanthèmes sur le bord de la petite fenêtre qui donne sur la ruelle. Et les fleurs sont blanches. Je l'ai VU !

À la fin, je crois que je criais. Je me suis arrêtée brusquement en voyant le regard horrifié de mon frère. Il me regardait comme si j'étais une bestiole venimeuse.

— Tu l'espionnes ! Tu nous espionnes… tu te sers de tes maudits dons pour regarder des choses qui te regardent pas…

— T'es bien content de les avoir « mes maudits dons », comme tu dis, quand ça fait ton affaire et quand ta blonde a besoin d'aide.

— Peut-être ! Mais ce que tu viens de dire, c'est une indiscrétion hyper moche. Tu trahis l'intimité d'Alicia. J'aurais jamais cru que tu t'abaisserais à faire une chose pareille. Et, en supposant que ce soit vrai, ça n'explique pas pourquoi tes mains sont comme ça.

— Ah oui? Et bien moi, je suis convaincue que c'est pas normal et pas sain de piquer les fleurs des morts pour les offrir à une vivante. Je suis peut-être indiscrète mais ta blonde, elle est un peu fêlée sur les bords. Tous les gens sensés seront du même avis que moi.

— N'importe quoi! Mais tu dis n'importe quoi, ma pauvre fille!

— Prends-le comme ça si ça te fait plaisir. Mais moi, je sens qu'il y a quelque chose d'autre là-dessous... de bien plus étrange et de bien plus menaçant qui me dépasse un peu. Je sais pas quoi encore.

— Tu deviens complètement folle, Isa. Tu déraillles avec tes sorcelleries à la petite semaine.

— Facile de dénigrer ce qu'on ne comprend pas, hein, frangin! Au moins, je suis là et j'essaie de t'aider. De vous protéger tous les deux, quoi que tu puisses en penser.

— Suffit, ce délire! Je veux plus entendre parler de tout ça. Et c'est plus la peine de m'adresser la parole si c'est pour me dire des conneries pareilles. Tiens, je préfère m'en aller. Tu me dégoûtes!

— Parfait! Donne le bonjour de ma part à Alicia... et dis-lui que j'ai apprécié son cadeau... à sa juste valeur.

Max m'a regardée avec des poignards dans les yeux et s'est levé brusquement. Je me sentais tendue comme un ressort, prête à mordre davantage. Sans un mot de plus, il a remonté dans sa chambre. Deux minutes plus tard, il est sorti en claquant la porte. C'était la première fois qu'on s'engueulait de cette façon. Moi, j'étais toujours dans la cuisine, mais je ne voyais plus la neige magicienne dans la fenêtre. J'ai placé les bols sales dans le lave-vaisselle et j'ai ramassé les miettes de pain éparpillées sur la table avant de m'apercevoir que je pleurais comme une Madeleine.

Évidemment, ma journée ne s'est pas passée du tout comme je l'avais prévu. Complètement démoralisée, j'ai appelé Mamicha qui a su trouver les mots pour me calmer un peu. Selon elle, je ne devais surtout pas lâcher Max d'une semelle. Elle me recommandait d'être prudente et de ne pas trop lui en vouloir. Plus facile à dire qu'à faire ! Après cette conversation, je me suis réfugiée dans le cocon tiède de mon lit et je me suis endormie, épuisée par la scène que je venais de vivre avec mon frère.

Lorsque j'ai émergé, le silence était total dans la maison. Au-dehors, la lumière était grise. J'avais complètement oublié ma journée d'école et tout le reste, mais j'étais apaisée. Sans vraiment le vouloir, perdue entre le rêve et la réalité, les images ont commencé à se former devant mes yeux et j'ai retrouvé Alicia.

Alicia danse. Elle est méconnaissable. Elle porte une robe argentée très courte. Une frange de soie ondule sur ses cuisses au moindre mouvement. Ses épaules sont dénudées et de fines bretelles courent sur sa peau de pêche. Elle a ramassé ses cheveux en chignon sur sa nuque. Une grosse fleur rouge sang est piquée dedans. Son visage est très maquillé : yeux charbonneux et bouche cerise. Ses jambes immenses sont perchées sur d'invraisemblables chaussures vernies à talons, retenues sur le dessus du pied par une bride.

Elle se trouve dans un lieu sombre, enfumé : un club, un bar ou quelque chose de ce genre. Il fait chaud. La musique d'un bandonéon, d'un piano et d'un violon envahit tout l'espace. Tango, tango !

Alicia virevolte dans les bras d'un inconnu. Elle est aussi grande que lui et ils se regardent intensément. Le danseur est vêtu très sobrement d'un costume sombre, éclairé d'une chemise blanche et d'une cravate rouge. Lui aussi, il porte des souliers noirs vernis et ses pieds semblent à peine effleurer le sol. Il est aussi beau que sa danseuse et tous ses gestes sont empreints d'une grâce sensuelle qui n'est pas dénuée de violence.

Les deux danseurs se connaissent bien. Ils dansent ensemble depuis plusieurs mois. Le tango pour eux, c'est un moyen de s'affronter, de se mesurer, de faire parler leurs corps et leurs âmes exilées. Une simple pression de la main sur le dos nu d'Alicia et elle tournoie dans les bras de son danseur qui joue d'elle comme d'un précieux instrument de musique. Un seul regard, un seul geste de fuite vers l'obscurité de la salle et il fait revenir à lui sa proie d'un geste possessif, enroulant une jambe entre les siennes, caressant ses cuisses du bout des doigts. Elle tressaille, frémit et obéit au moindre contact, victime consentante tout autant que prédatrice subtile. Tango, tango ! Il fait chaud. Les deux danseurs halètent d'un même souffle. Leur danse est d'une infinie séduction, d'une excitante complexité, presque insupportable tant elle est explicite. C'est comme s'ils faisaient l'amour sur cette piste de danse, sans se soucier des autres. Ils sont seuls au monde, enfermés dans le rythme saccadé de la musique.

Lorsque le silence se fait, ils restent un instant échoués dans les bras l'un de l'autre, écoutant tous les échos du tango mourir. Quelques applaudissements crépitent. Avec une certaine brusquerie, le couple se sépare et les deux danseurs redeviennent instantanément des étrangers, des camarades. Ils se sourient. Une pression de la main, un gracieux salut à l'assistance et ils partent chacun de leur côté.

Alicia rejoint Max attablé devant une bière. Il a les yeux dans le vague et les mâchoires crispées. Ses deux poings sont serrés sous la table. Tout son corps proteste contre ce qu'il vient de voir, même s'il serait bien incapable de l'expliquer rationnellement, avec des mots. Il est furieux. Il ne comprend pas ce partage de gestes intimes avec un autre, gestes qu'il croyait dédiés à lui seul. Il est jaloux et il s'en veut de se sentir aussi bouleversé. Quand Alicia pose la main sur son bras, il se crispe et se tourne vers elle d'un bloc. Il veut lui faire comprendre la révolte qu'il ressent. Mais un seul regard de sa belle suffit à le dompter. Elle lui sourit. Dans quelques minutes, quelques heures, il sera seul avec cette femme divinement belle que tous, ce soir, ont désirée, et elle sera à lui. Les sentiments contradictoires se bousculent en lui. Il est torturé, éperdu d'amour et il ne sait plus où il en est.

Je n'ai pas pu m'empêcher d'envoyer une onde d'apaisement vers mon frère. J'essayais de me mettre à sa place et de comprendre ce qu'il ressentait. Trop, c'était trop ! Il n'avait pas encore dix-huit ans, Big Max, et il se retrouvait pris dans les filets d'une passion qui le dépassait. ON l'obligeait à vivre à la fois l'enfer, le paradis et les montagnes russes. ON le menait par le bout du nez et il ne voyait plus rien d'autre. Jamais il n'allait tenir le coup.

J'ai fini par me lever. La neige avait cessé de tomber. Devant la maison, un petit froid craquant avait revêtu les belles feuilles rouges de notre érable d'un glaçage transparent. Deux saisons se mariaient devant ma fenêtre, une noce barbare où l'éclat de l'automne jouait avec brio ses dernières cartes.

Évidemment, ce soir-là, il n'est pas rentré, ce grand escogriffe ! Le contraire m'aurait étonné. Autour de la table du souper, le silence était à couper au couteau. J'ai remontée tout de suite après dans ma chambre.

Je dormais dur lorsque la vibration du cellulaire, caché sous mon oreiller, m'a tirée des limbes. Deux heures trente du matin. Après l'engueulade qu'on avait eue dans la matinée, il fallait qu'il se passe quelque chose de vraiment grave pour que mon frère m'appelle. J'ai tout de suite été sur mes gardes. Il avait nettement changé de ton, le Max.

— Isa, tu dors ?

— Je dormais. Tu viens de me réveiller. Qu'est-ce qui t'arrive ? Pourquoi tu m'appelles ?

— C'est Alicia…

— Sans blague ! T'es chez elle ?

— Oui. Faudrait que tu viennes tout de suite. Appelle un taxi ! Je sais pas quoi faire.

— Holà ! Une minute. Explique d'abord ce qui se passe.

— Elle a commencé à avoir mal à la tête quand on est rentrés, vers minuit. Là, elle est dans son lit et elle pleure en se tenant les tempes tellement elle a mal. Elle a l'impression que sa tête va éclater en morceaux.

— Ça, c'est une migraine, mon vieux ! Tout le monde s'y frotte un jour ou l'autre.

— Et je fais quoi ?

— Donne-lui des aspirines ou quelque chose du genre, je sais pas moi ! Il doit bien y avoir des comprimés dans sa salle de bains.

— Qu'est-ce que tu crois ? C'est la première chose à laquelle j'ai pensé. Ça fait trois fois que je lui en donne mais elle vomit tout de suite. Incapable de garder ce qu'elle a dans l'estomac. Tu peux pas venir ?

La dernière phrase était vraiment suppliante. Pour elle, il était prêt à faire toutes les concessions du monde, à présenter les plus plates excuses. Mais je n'avais pas oublié toutes les méchancetés qu'il m'avait dites plus tôt. J'étais trop blessée pour pardonner si vite.

— Max, tu veux un conseil ?

— Ouais !

— Je vais te dire quoi faire et FAIS-LE sans discutailler ! Si tu suis bien mes directives, ce ne sera pas la peine que je vienne troubler votre charmante intimité.

— Tu crois ?

— Sûr ! Trouve une paire de gants, les tiens, les siens, les gants de la cuisine, n'importe quoi. Ensuite, ouvre toutes les fenêtres de l'appart pour faire entrer de l'air frais. Et après, tu flanques à la poubelle toutes les fleurs qui encombrent les tables et le bord des fenêtres. Et n'oublie pas le pot de chrysanthèmes blancs du côté de la ruelle. Ne touche pas à ces plantes avec tes mains nues. T'as compris ?

— Heu… tu crois… t'es sûre, Isa ?

— Certaine ! Après, amène Alicia devant la fenêtre pour la faire respirer. L'air pur va lui remettre les idées en place. Fais-lui boire quelque chose de chaud. Elle va s'arrêter de pleurer. Ensuite, ça devrait aller mieux. Tu pourras l'aider à se recoucher et revenir ici si tu veux pas te faire écorcher vif demain matin par papa.

— Isa... Tu peux vraiment pas venir?

— Non! Tu m'as balancé un char de méchancetés ce matin. J'ai décidé de ne plus me mêler de vos affaires, à ta blonde et toi. Je vais m'occuper de mes oignons, un point c'est tout.

— Isa...

— C'est non, Max! Je suis pas un petit génie comme toi, qui comprend tout au quart de tour. Comme l'intelligence a été mal distribuée entre toi et moi, je suis obligée de travailler beaucoup pour réussir mes cours et j'ai besoin de dormir et d'avoir une vie régulière pour y arriver, tu piges?

— Excuse-moi, Frangine!

— Fais ce que je te dis et tout ira bien. Et si mes maudits dons sont nuls, il y a toujours l'urgence de l'hôpital où tu peux la conduire. Bonne chance, Max... et à un de ces jours!

Non mais! J'ai raccroché. S'il pensait que j'allais courir vers lui ventre à terre, comme un bon toutou, au premier coup de sifflet, il se fichait le doigt dans l'œil, le frérot! Qu'il se débrouille avec les malaises de sa blonde.

J'ai tout de même eu quelque mal à retrouver le sommeil. Je ressentais une certaine jubilation à l'idée de l'avoir envoyé sur les roses et, en même temps, je n'étais pas très fière de mon manque de compassion à l'égard d'Alicia, moi, la Consolante. Ou supposée telle.

Et notre vie de famille a continué son petit bonhomme de chemin plutôt chaotique. Entre Max et moi, c'était vraiment plus la grande complicité qu'on avait connue depuis toujours.

Chez les parents, l'humeur variait entre la résignation désolée de Jacinthe, et l'indifférence irritée de Pierre. Il y avait eu quelques autres séances de dynamique orageuse dans le sous-sol pour des questions de découchage et d'horaires non respectés. Avec menaces à l'appui, bien entendu. Mais Max n'avait pas tout à fait perdu le nord et ses notes au collège étaient telles que, de ce côté-là, papa n'avait vraiment rien à se mettre sous la dent. Et il s'était décidé à informer nos vieux qu'il était en amour par-dessus la tête avec une fille « super pétard », selon ses mots, ce qui lui avait valu l'estime et, n'ayons pas peur des mots, une sorte de complicité virile de la part de papa. Entre hommes, n'est-ce pas, on se comprenait.

Sa passion pour Alicia lui creusait les joues. Big Max avait maigri, vieilli et mûri. Il était plus beau que jamais et les filles de ma classe se bousculaient au portillon pour me demander de ses nouvelles. J'aurais pu obtenir à peu près n'importe quoi si j'avais mis aux enchères son numéro de portable.

Mais il y avait tout de même des limites à la décence.

Il me manquait, mon frère. Une fois tous les deux ou trois jours, on avait une petite conversation plate et polie en préparant le repas, en lavant notre linge au sous-sol, ou quand on prenait le métro ensemble pour aller au cégep. C'était mieux que rien. Le contact n'était pas totalement coupé.

J'avais appris ainsi que le traitement que j'avais suggéré avait été efficace pour apaiser la migraine d'Alicia. Mais l'accalmie avait été de courte durée. Presque tout de suite après, elle avait attrapé une sorte de grippe sauvage qui l'avait tenue au lit plusieurs jours de suite, avec une fièvre intense à délirer. La grippe avait ensuite dégénéré en bronchite et la belle toussait à fendre l'âme de tous ceux qui l'entendaient. Et comme l'hiver avait imposé sa loi, il faisait un froid de canard lorsqu'elle se risquait à faire ses fouilles végétales dans le cimetière Notre-Dame-des-Neiges car, bien entendu, elle n'avait rien changé à ses habitudes. Ce qui ne devait pas arranger les choses si elle n'avait pas l'équipement nécessaire, vêtements chauds, bottes, gants, tuque, et tout le tralala… pour affronter les températures polaires de ce début de décembre.

Max était tellement soucieux qu'il me faisait pitié. Je pris sur moi de faire la paix. Une fin de semaine où Jacinthe nous avait imposé de faire le ménage de nos tiroirs (lire: mettre dans un sac de recyclage tous les vêtements qui ne nous allaient plus, mais qui pouvaient encore servir à d'autres), je frappai à la porte de sa chambre avec une paire de grosses chaussettes de laine, des gants verts doublés de tissu polaire que je n'avais jamais mis et un chandail beaucoup trop grand pour moi.

— Dis donc, ta copine, elle a tout ce qu'il lui faut pour l'hiver?

— Comment ça? Qu'est-ce que tu veux dire?

— Les vêtements… les bottes… les trucs chauds… à Buenos Aires, il doit sûrement pas faire un froid sibérien comme ici, même l'hiver.

— Ben… oui… peut-être… j'sais pas…

— En tout cas, demande-lui. Elle va attraper la mort si elle est pas bien équipée. C'est peut-être pour ça qu'elle est tout le temps malade…

— Tu crois?

— Tu peux toujours lui donner ça de ma part. J'allais mettre ces trucs dans le recyclage de Jacinthe mais, comme c'est presque neuf, elle pourra s'en servir. Et oblige-la à mettre un manteau long. Les petits blousons en cuir, c'est bien beau, mais tu te souviens de ce qu'elle nous disait, Mamicha, qu'on attrape les rhumes aussi bien avec les pieds qu'avec les fesses…

Et là, il a rigolé. Un vrai rire de frère retrouvé comme je n'en avais pas reçu depuis des semaines. C'était bon !

J'étais au collège, en plein atelier de modèle vivant, quand j'ai entendu une sorte de signal de détresse. Quelqu'un m'appelait au secours. Alicia, bien sûr ! Je ne pouvais pas me défiler. J'ai demandé au prof la permission d'aller aux toilettes et là, isolée de tous, je suis partie à sa recherche. Que lui était-il encore arrivé ?

Alicia est dans une des allées du cimetière Notre-Dame-des-Neiges. Tout y est blême et gris. Il n'y a pas encore beaucoup de neige accumulée au sol, et les tombes sont à peine recouvertes d'un petit dôme blanchâtre. L'air est glacial. Fouettés par le vent, les arbres gémissent. Pas un chat à l'horizon. Ou presque. Alicia est prostrée sur le sol. Son sac de toile, son portefeuille, ses gants verts sont éparpillés autour d'elle. Elle vient de glisser sur une plaque de verglas et elle se tient la cheville. Son visage est livide et grimaçant. Des flèches de douleur fusent de son pied et irradient dans toute sa jambe. Tout près d'elle, le vieux monsieur qu'elle connaît essaie de l'aider. Maladroitement, il la saisit par les aisselles et tente de la relever. Avec peine, il parvient à l'asseoir sur le bord d'une pierre tombale qu'il a sommairement dégagée de la neige qui la recouvrait. Avec sollicitude, il parle à la jeune femme. Qu'elle reste ici, bien tranquille, sans bouger. Il va aller chercher du secours à la guérite de l'entrée ou encore au mausolée. Même s'il ne marche pas bien vite, ce ne sera pas long. Avec ses petites bottes à talons hauts, la demoiselle s'est probablement foulé la cheville.

Le vieillard part à petits pas prudents sur le sentier glissant en s'appuyant sur sa canne. Alicia reste seule. Elle grelotte de détresse et se demande ce qu'elle est venue faire là, encore une fois. Son sac de toile est vide. Elle ne se comprend plus. Pourquoi vient-elle, presque chaque jour, dans cet endroit lugubre… comme si elle y était appelée par quelque chose de bien plus fort qu'elle? Elle aime les fleurs et les plantes, d'accord, mais cette recherche insensée tourne à la névrose. Elle ne comprend pas non plus pourquoi la tristesse et le désespoir emplissent son cœur, alors qu'elle a tout pour elle: la jeunesse, la beauté, le talent, l'intelligence, l'amour en la personne de ce beau gars qui se jetterait volontiers dans le feu si elle le lui demandait.

Et ce froid terrifiant qui ne la quitte plus maintenant et qui l'oblige à conserver une température de serre dans son petit appartement… D'où provient-il? Va-t-il la lâcher un jour? Est-il en train de l'éteindre, de la tuer? C'est seulement lorsqu'elle danse avec Carlos qu'elle retrouve sa chaleur et sa vitalité. Elle se sent terriblement seule dans ce pays étranger dont on lui avait tant vanté la générosité et la bonne humeur. Elle a l'impression de glisser lentement vers un trou obscur où une force maléfique l'attend pour lui arracher tout ce qu'elle a, tout ce qu'elle est… Elle ne sait que faire pour s'en sortir.

Découragée, elle regarde autour d'elle. Solitude, blancheur, espaces infinis de mort et de souvenirs qui s'éteignent… Elle fond en larmes et, du fin fond de sa détresse, elle appelle la seule personne qui peut lui venir en aide: «Isa».

Message reçu. J'ai compris en une fraction de seconde. On devait l'aider, tout de suite. Elle était en danger. Comme le petit vieux semblait tarder à revenir avec l'aide promise, j'ai pris les choses en main. Je ne pouvais pas quitter le cégep, mais je savais que Max était en période libre, quelque part dans le bahut. Je l'ai donc appelé sur son cellulaire qui était tout le temps branché en mode vibration. Il a décroché tout de suite, en chuchotant.

— Ouais?

— Max, il est arrivé quelque chose à Alicia. Il faut que tu ailles immédiatement au cimetière où elle va piquer ses fleurs.

— Hé, ho, une minute! Comment tu sais ça?

— Je l'ai vue. Elle vient juste de m'appeler.

— Elle a pas pu t'appeler, elle a pas de portable!

— Finasse pas! Elle a envoyé un message de détresse vers moi et je l'ai capté, c'est tout!

Mon frère s'est mis à ricaner en grinçant un peu.

— C'est tout?

— On n'a pas le temps de discuter. Ou tu te bouges les fesses tout de suite pour aller l'aider ou bien je fugue du cégep, avec toutes les conséquences que ça aura si je me fais pincer.

— Elle est où, exactement?

— Pas loin de l'entrée principale. À gauche des serres, dans le quartier des Français.

— Et qu'est-ce qu'elle a?

— Je crois qu'elle s'est cassé ou foulé la cheville. Je sais pas au juste mais elle peut pas poser son pied par terre. Et elle est seule. Elle attend des secours qui tardent beaucoup à arriver. Dégrouille!

— Isa, si jamais tu me mènes en bateau…

— … tu me le feras payer. Je sais! En attendant, vas-y! Fais-moi confiance. Y a des trucs que t'es pas équipé pour comprendre malgré ton génie et c'est aussi bien comme ça…

— OK, je pars dans trois secondes.

— Et par la même occasion, dis-lui, à ta copine, que c'est suicidaire de se balader en talons aiguilles sur la glace. Y a personne à impressionner dans un cimetière. Tout le monde est mort. Allez, décolle!

Puis j'ai raccroché pour ne pas envenimer la conversation. Je suis retournée à mon atelier mais je ne voyais plus le modèle qui était devant moi. J'ai pris une feuille de dessin, un fusain neuf et je me suis mise à dessiner Alicia, recroquevillée sur le bord de la tombe, image même de l'abandon dans le grand terminus blanc du cimetière. De toutes mes forces, j'ai envoyé des pensées successives vers elle, l'informant que Max était en route pour venir la secourir, que tout allait bien maintenant, que j'allais m'occuper d'elle et apaiser ses chagrins.

Une voix près de moi m'a soudain fait sursauter.

— Pas mal, Isabelle, mais on est un peu loin de l'exercice d'aujourd'hui, non ? Belle illustration pour un film d'épouvante… À travailler !

C'était Aline Gascon, notre prof, qui venait de me surprendre en plein délit de fuite, en faisant sa tournée des chevalets. Un peu penaude, j'ai caché le croquis délinquant dans mon portfolio et je suis revenue sur terre, attentive à bien reproduire les bourrelets de la femme qui me faisait face, l'esprit occupé par une autre qui se mourait de froid.

Les fêtes étaient à nos portes. Alicia n'était pas retournée au cimetière mais elle se traînait comme une âme en peine. Par chance, sa cheville n'avait été que foulée et elle s'en était sortie avec un bandage compressif pendant plusieurs jours. Elle avait également compris que le look devait parfois céder la place au bon sens et elle avait déniché une belle paire de bottes doublées de mouton dans une friperie de l'est de la ville. Au moins, elle ne jouait plus à l'équilibriste sur ses ridicules talons hauts.

Chaque année, on allait passer les vacances de Noël chez Mamicha. Elle préparait notre arrivée des semaines avant en remplissant son congélateur de mille et une surprises qui faisaient partie de notre tradition familiale. On partait pour au moins dix jours dans la grande maison qui regardait le Massawippi transformé pour l'occasion en gigantesque patinoire.

Max se rongeait les ongles. Une seule et unique pensée lui occupait l'esprit. Pouvait-il laisser Alicia toute seule durant presque deux semaines ? Allait-il supporter d'être séparé d'elle tout ce temps ? Car, bien entendu, elle ne retournait pas en Argentine pour les fêtes. Trop loin et trop cher. Je me sentais tellement responsable d'Alicia, moi aussi, que je partageais les craintes de mon frère. J'avais retourné le problème sous toutes ses coutures et la seule solution intelligente qui me venait à l'esprit c'était de prendre Alicia avec nous. Je savais que Mamicha serait tout de suite d'accord si on le lui demandait… mais il restait à convaincre les parents. Ce qui restait hypothétique vu que Max n'avait pas jugé bon d'amener sa belle à la maison afin de la leur présenter.

J'ai attaqué le problème de front, un soir au souper. Je me suis d'abord adressée à Max en lui faisant un petit clin d'œil discret.

— Et ta copine, qu'est-ce qu'elle fait pour Noël ? Elle retourne dans sa famille ?

Le regard de Max s'est allumé. Il a compris tout de suite et il est entré dans le jeu.

— Ben non, tu penses ! L'Argentine, c'est beaucoup trop loin et les billets d'avion sont hors de prix. C'est l'été austral là-bas. La haute saison. Et tous les latinos du Canada qui le peuvent retournent chez eux à ce moment-là. Même si elle voulait, elle pourrait pas trouver une place. Tous les avions sont *full*.

— Qu'est-ce qu'elle va faire, alors ? Noël toute seule, c'est pathétique, non ?

Jacinthe me regardait avec un petit sourire. Elle savait où je voulais en venir. Papa était loin derrière et se taisait, pensif.

— Je sais pas ce que vous en pensez, mais on devrait lui proposer de venir avec nous. Mamicha adore quand sa maison est pleine à Noël et elle sera sûrement d'accord.

— Quand même, Isa ! C'est une étrangère, s'écria Pierre. On ne la connaît même pas puisque ton frère la garde pour lui tout seul.

— C'est que… je voulais pas imposer… je voulais pas déranger… déjà que…

— Tu pourrais l'inviter demain soir pour casser la glace. C'est samedi. Je me propose pour faire une fondue au fromage. Ça vous va ?

Le sourire de maman était maintenant éclatant. Mais papa gardait un pli entre les deux sourcils qui lui donnait son air bougon habituel. Je l'ai secoué un peu.

— Voyons, p'pa, imagine un peu que je sois en Australie ou aux îles Mouk-Mouk pour faire des études. Tu serais pas content de savoir qu'une brave famille d'autochtones m'a invitée pour Noël, si je pouvais pas revenir ici ?

Argument imparable. Max m'a envoyé un petit coup de pied complice sous la table en évitant de me regarder. Tant qu'à faire, j'en ai rajouté un peu.

— En plus, elle est pas en super forme, la copine de Max. Elle vient juste de se fouler la cheville. Si on la laisse toute seule, c'est carrément dégueulasse !

— N'en beurre tout de même pas trop épais, Isa ! C'est d'accord, Max ! Tu peux l'inviter pour demain soir. On verra pour la suite.

C'était dans la poche. Je savais que Pierre allait être séduit par la beauté éclatante d'Alicia et qu'il ne saurait rien refuser à ce fils qui avait réussi une telle conquête. Et Jacinthe apprécierait sa grâce et son éducation raffinée. Quant à Max, il était tellement content qu'il lévitait au-dessus de la table. J'avais bien manœuvré. On allait l'emmener et on allait lui refaire une santé à cette Alicia.

C'est comme ça qu'on s'est retrouvés à cinq, dans la Toyota de papa archibourrée de bagages, Max, Alicia et moi tassés comme des sardines en boîte sur la banquette arrière. Il faisait une journée de grand soleil, avec un ciel bleu électrique. Les Cantons de l'Est s'offraient mille frimas et froidures.

Alicia, qui n'était jamais sortie de Montréal depuis son arrivée au pays, s'émerveillait comme une petite fille. Comme prévu, elle avait fait la conquête des parents en moins de cinq minutes. Les belles personnes ont toujours un avantage sur les autres. Sa beauté lumineuse avait jeté papa par terre et son petit air fragile avait touché une corde sensible chez notre maman poule.

Mamicha devait nous guetter derrière la porte vitrée, car elle s'est empressée de sortir nous rejoindre dès qu'elle a vu l'auto s'engager sur le terre-plein. Je me suis éjectée de la voiture pour l'étreindre, me demandant, comme chaque fois, comment j'avais pu rester tant de jours sans la voir. Elle venait de temps en temps à Montréal pour des petites escapades avec sa fille, mais elle ne restait jamais longtemps chez nous. Et puis, comme il y avait l'école, on n'était pas vraiment disponibles ni l'une ni l'autre pour de grandes conversations intimes comme celles de l'été dernier.

Un froid piquant sévissait. On s'est dépêchés de sortir les bagages et les sacs de cadeaux de la voiture puis on s'est tous retrouvés à piétiner et à se bousculer dans le petit vestibule pour ôter nos bottes et notre gréement hivernal. J'ai poussé Alicia dans la grande pièce où un feu de bûches d'érable pétillait joyeusement et j'ai vu son regard s'agrandir d'émerveillement. Ma grand-mère avait commencé ses décos de Noël et c'était grandiose. Sur le tout flottait une odeur de chocolat chaud qui ne déparait pas l'ensemble. On ne pouvait pas rêver endroit plus exotique pour une petite fille qui avait passé tous ses Noëls à la plage, sous la canicule.

— Mes amours, on va changer un peu l'installation habituelle. Alicia et Isa vont dormir ensemble dans la chambre des jumeaux. Toi, Max, je t'ai préparé un lit de camp dans mon atelier, en bas… ça vous va ?

Personne n'a protesté. Max aurait préféré partager notre chambre avec sa belle et me reléguer à l'entresol, mais il savait que ça n'aurait pas été compatible avec les principes de la maison. Il allait sûrement trouver le moyen de s'isoler avec sa chérie de temps en temps. Pour ça, je lui faisais confiance. Je n'étais pas mécontente de l'arrangement car je comptais bien avoir une petite conversation entre quatre yeux avec ladite chérie.

Et notre folklore des fêtes a commencé par la traditionnelle promenade en raquettes dans le bois pour dénicher le plus bel arbre de Noël. Un froid sec faisait crisser la neige sous nos pas. Bien emmitouflée, Alicia, dont on ne voyait que les yeux, riait pour un rien. Elle avait laissé ses soucis derrière elle et retrouvé la légèreté de son âge. Le soir venu, on a installé l'arbre à la place d'honneur de la grande salle, entre les deux fenêtres panoramiques, et on l'a décoré avec les petits jouets, les boules et les lumières qu'on avait toujours connus.

La folie de Noël a pris sa vitesse de croisière. Défilé des cousins, des oncles et des tantes qu'on ne voyait pas souvent. Réveillon avec dinde et bûche au chocolat, messe de minuit dans la petite église anglicane de North Hatley, déballage des cadeaux, farniente au coin du feu… La vie heureuse, quoi ! Mamicha et moi, on ne quittait pas Alicia des yeux. On surveillait ce qu'elle mangeait et on l'obligeait à sortir tous les jours en raquettes avec nous pour chasser ses idées noires dans le festival blanc de l'hiver.

Ça tournait à peu près rond. Alicia n'avait pas été malade. Elle reprenait des couleurs. Un jour sur deux, la belle recevait un coup de téléphone de ses parents. Avec avidité, elle saisissait l'appareil qu'on lui tendait et se mettait à parler en espagnol à toute vitesse, les yeux brillants. Elle baragouinait tellement vite que, malgré les quelques notions que j'avais glanées à l'école, je ne comprenais rien du tout à ce qu'elle racontait. Elle pouvait parler aux siens plus d'une heure à chaque fois. Dès qu'elle reposait le combiné, c'était le déluge. Elle éclatait en larmes. On comprenait alors à quel point sa famille lui manquait. Le grand Max l'enfermait alors dans ses bras et la berçait tendrement jusqu'à ce qu'elle se calme.

Deux jours avant notre retour en ville, je n'avais toujours pas trouvé l'occasion de parler à Alicia en privé. Max l'accaparait autant qu'il le pouvait. Comme il s'était payé des leçons de conduite et venait tout juste de passer son permis de conduire, Mamicha lui prêtait sa voiture et il emmenait sa belle sur les collines des environs pour lui faire admirer les immenses paysages des Cantons de l'Est et les villages aux maisons de bois chamarrées de lumières multicolores, frileusement serrées sous la neige.

Finalement, j'ai saisi l'occasion qui se présentait lorsque Mamicha nous a demandé à Alicia et à moi d'aller au magasin général du village. J'ai fait un détour par le petit cimetière mixte où les catholiques et les protestants étaient enterrés chacun de leur côté, séparés pour l'éternité par une clôture comme ils l'avaient été dans la vie. Contre toute attente, elle regimba.

— Pourquoi tu m'emmènes là ?

— Ben, je croyais que ça t'intéressait, les cimetières. T'y vas tellement souvent à Montréal. Au moins, celui-là, il est unique et il date du temps où les Anglais sont venus coloniser les Cantons de l'Est, après la guerre d'Indépendance des États-Unis.

— J'aime pas tellement les cimetières, tu sais. C'est plutôt triste !

Un comble ! Elle me prenait pour une valise ou quoi ?

— Je comprends pas. Si t'aimes pas ça, explique-moi pourquoi t'es devenue une habituée du cimetière Notre-Dame-des-Neiges ?

— Pour les fleurs, tiens.

— Admettons, pour les fleurs ! Mais depuis qu'il est tombé un mètre de neige, il n'y a plus de fleurs à récupérer et t'y vas quand même.

Elle s'est tue pendant une bonne minute. Quelque chose la troublait, l'empêchait de se confier à moi. Finalement, elle s'est décidée.

— J'y vais aussi pour voir un ami. Un vieil ami, très solitaire.

— Monsieur Roberge ?

— Comment tu sais son nom ?

— Je l'ai «entendu» lorsque tu m'as appelée, l'autre fois. J'ai vu toute la scène lorsque tu es tombée et que tu t'es foulé la cheville. Tu sais bien que je peux percevoir des choses que les gens normaux ne voient pas…

— Oui, je sais. T'es plutôt bizarre, Isa. T'es même unique, mais je t'aime bien même si t'es un peu sorcière sur les bords.

J'ai fait semblant de rigoler pour dérider l'atmosphère.

— C'est toujours pratique d'avoir une sorcière dans ses relations, non? Et alors, le vieux monsieur, tu peux pas le rencontrer ailleurs, dans un café, un resto, au chaud… au lieu d'aller patiner sur la glace et te casser la figure?

— On n'est pas encore très familiers. Il maintient une distance entre nous. Pourtant, lorsque je passe une semaine sans le voir, il est malheureux… Je sens qu'il m'appelle de loin et je peux pas m'empêcher d'aller à sa rencontre. Il est presque toujours à côté de la tombe de sa femme. Je trouve ça émouvant cette fidélité à une morte.

— T'avoueras que c'est quand même bizarre comme relation amicale. T'es tout même pas responsable de lui! Il a sûrement des amis, des enfants, une famille.

— Non. Il est tout seul. Je me sens un peu responsable de lui, comme tu dis.

— N'empêche que c'est pas sain, une relation semblable. Tu devrais cesser de le voir ou au moins espacer tes visites. Ça te met le moral à l'envers, et moi, je suis pas tranquille. J'ai toujours peur qu'il t'arrive quelque chose. Promets-moi d'y penser ?

Elle a glissé sa main dans la mienne et l'a serrée très fort. Elle a promis mais j'étais sûre qu'elle allait continuer à rencontrer ce vieillard bizarre qui, soit dit en passant, ne s'était pas beaucoup pressé pour ramener du secours vers elle le jour où elle s'était foulé la cheville.

Les vacances ont passé à toute allure. Il fallait rentrer en ville. Juste avant de partir, Mamicha m'a entraînée dans son atelier pour me montrer sa toute dernière création. Le plus souvent, elle peignait des fleurs en bouquets fous sur lesquels elle superposait des visages de femmes éthérées, rêveuses, avec un regard intérieur. Ses femmes fleurs, comme je les appelais, ne laissaient jamais personne indifférent et trouvaient des amateurs sur les cinq continents.

Un grand tableau était au garde-à-vous sur son chevalet, voilé par un drap qu'elle souleva doucement. Un visage torturé de femme émergeait d'un océan de fleurs, comme une noyée qui revient à la surface pour une ultime respiration avant de sombrer. Contrevenant à son habituelle sérénité, Mamicha avait imaginé une composition complexe et angoissante. Je suis restée muette de saisissement et j'ai fait tout de suite le lien avec le croquis que j'avais fait spontanément quelques semaines auparavant.

— C'est comme ça que tu la vois ? Comme quelqu'un qui va se noyer ?

— L'idée est sortie toute seule. Je l'ai laissée monter à la surface.

— Tu vas lui montrer ?

— Vaudrait mieux pas. Je n'ai pas cessé de l'observer. Je suis convaincue qu'elle n'est pas libre, qu'elle est possédée par quelque chose qui la dépasse. Ne la perds pas de vue, ma chatonne. On a réussi à la remettre sur pied, mais c'est provisoire. Dès votre retour à Montréal, le cirque va recommencer.

— Et Max ?

— Max, Max… tu le connais, il ne voit rien de ces choses-là. Elle sait que c'est vers toi qu'elle doit se tourner. Elle va te demander beaucoup. Fais attention à toi, ma chatonne, et n'oublie pas de te protéger, de mettre un paravent entre elle et toi.

— Plus facile à dire qu'à faire, Mamicha ! Des fois, je ne parviens pas à m'abstraire et je vis tout ce qu'elle vit. L'enfer ! C'est dingue !

— Je suis là, ma petite chérie. Tu peux entrer en contact avec moi quand tu veux. On n'a pas besoin du téléphone pour communiquer.

— Mamicha…

Je me suis cachée dans ses bras pour un dernier câlin de réconfort. La légèreté de ces quelques jours de vacances venait de s'envoler.

La voiture était prête, les bagages et les cadeaux reçus entassés dans le coffre. Les ultimes baisers et salutations avaient été partagés. Serrée contre Max sur la banquette arrière, Alicia attendait sagement notre départ. Elle m'a souri lorsque je me suis glissée à côté d'elle, mais ses beaux yeux mordorés avaient retrouvé leur part d'ombre.

Le mois de janvier promettait de figurer dans les records Guiness. Les dix premiers jours, la température n'a jamais monté au-dessus de - 25° dans la journée. Et les nuits, on frôlait souvent les - 40°. Tout un chacun se claquemurait chez soi, pendant que les conseils de prudence et de survie nous étaient serinés en boucle à la radio, à la télé et même sur Internet. Comme je n'avais pas le profil d'un ours polaire, je sortais le moins possible, me contentant des trajets pour aller au cégep et revenir à la maison.

Un peu trop optimiste sur les bords, je me disais qu'Alicia, en bonne fille de l'été austral, n'allait pas se risquer à renouveler ses incursions au cimetière par un froid pareil. Absorbée par la rentrée scolaire, j'avais un peu relâché ma surveillance virtuelle. Je me suis brusquement réveillée lorsque Max, découragé, est venu m'annoncer que sa belle avait attrapé une laryngite qui transformait sa gorge en carton-pâte et l'empêchait de prononcer un seul mot. Le bazar recommençait.

Elle avait recommencé ses visites macabres, cette folledingue! Même s'il n'y avait plus rien à glaner du côté des fleurs. J'ai donc repris mon espionnage et je l'ai vue plusieurs fois, claquant des dents dans le froid glacial, en train de farfouiller autour des serres du cimetière Notre-Dame-des-Neiges, à la recherche d'un hypothétique poinsettia qui aurait survécu à notre ère glaciaire. Son sac en toile restait désespérément vide. Lorsqu'elle était convaincue qu'il n'y avait rien à récupérer, elle arpentait les allées vernies de glace, marchant à petits pas précautionneux, à la recherche du vieillard avec qui elle avait rendez-vous. Chaque fois, elle le rencontrait, comme s'ils s'étaient fixé une heure de rencontre auprès d'une tombe, toujours la même, que je devinais être celle de l'épouse défunte du vieux monsieur. Ils échangeaient une cordiale poignée de main. Elle lui avait raconté le Noël enchanté qu'elle avait passé avec nous. Lui, il n'avait eu à partager que son immense solitude de vieillard oublié, qu'aucune joie ne venait plus faire sourire. Parfois, comme s'il avait peur de tomber, le vieux saisissait le bras d'Alicia et ils marchaient ainsi, bras dessus, bras dessous, avant de se séparer devant le portail d'entrée. Chacun ensuite partait de son côté. Toujours le même scénario.

Il fallait que je fasse quelque chose. Que je me remue un peu les fesses. Je ne pouvais pas rester éternellement tapie dans ma petite chambre confortable à épier les moindres gestes d'Alicia en la regardant dépérir à petit feu.

Son mal de gorge avait dégénéré en bronchite. Par conséquent, le médecin de l'université qu'elle s'était résignée à aller consulter lui interdit de sortir. Comme elle était clouée chez elle pour plusieurs jours à se gargariser et à se bourrer de pilules, je me suis décidée à aller sur place, en chair et en os, dans ce foutu cimetière, pour essayer de comprendre ce qui se passait. Puisque j'avais des dons, autant les utiliser, même si j'avais la peur vrillée au ventre.

J'ai mis toutes les chances de mon côté en choisissant un beau samedi de soleil clair, un de ces après-midi où tout semble aseptisé et récuré par le froid. Bien emmitouflée, j'ai enroulé trois fois autour de mon cou l'écharpe multicolore que Mamicha m'avait tricotée pour Noël et j'en ai profité pour lui envoyer un petit message télépathique pour me donner du courage. Je n'ai pas jugé bon d'informer Max de ma petite balade puisqu'il était au chevet de sa chérie, indifférent à tout le reste.

Je connaissais les chemins d'Alicia par cœur. Je les avais tellement suivis. En sortant du métro, j'ai donc remonté le chcmin de la Côte-des-Neiges et je suis entrée dans le cimetière par la grande porte, dépassant la monumentale grille de fer forgé. Pas un quidam à l'horizon ! Les défunts n'attendent plus rien des vivants et ils savent bien, dans leur sagesse glacée, que pas un chrétien ne se risque jusqu'à eux s'il n'y est obligé. Et ce n'était pas un temps à mettre un chat dehors.

Pourtant, l'immense cimetière n'était pas tout à fait vide. Je l'ai reconnu tout de suite. Il était perdu dans ses pensées, planté devant une stèle de granit rose, dégagée de tout flocon. Posé sur la pierre, un bouquet de roses rouges en plastique, insensible au froid, flamboyait dans toute cette blancheur crue éclairée par le soleil oblique. Je l'ai observé un long moment, à moitié dissimulée derrière le tronc d'un érable centenaire. Il se tenait droit comme un I, très digne, appuyé sur sa canne à pommeau d'argent. Il portait un pardessus noir, un chapeau de feutre gris et un foulard de soie beige qui ne devait pas le réchauffer beaucoup. J'avais devant moi le très distingué monsieur Roberge, comme l'appelait Alicia.

Comme il semblait enraciné devant la tombe et ne semblait pas vouloir bouger, j'ai pris sur moi de le rejoindre. Parvenue près de la stèle, j'ai eu le temps de lire un nom : Grégoria Fiorini… et deux dates : 18 janvier 1935 – 25 septembre 1970. La morte qui habitait là était partie à trente-cinq ans si je calculais bien.

— Bonjour mademoiselle !

Il avait une belle voix grave, chaleureuse malgré la buée épaisse qui s'échappait de ses lèvres bleuies de froid. Il fit un petit signe vers son chapeau. Je lui ai souri.

— Bonjour monsieur !

— Quel étrange vent vous amène jusqu'ici ?

Plutôt bien que ce soit lui qui entame la conversation parce que je ne savais pas par quel bout commencer. Puisque la porte était ouverte, je lui ai tout de suite parlé d'Alicia.

— Je pense que vous rencontrez parfois une de mes amies. Alicia, une grande blonde qui vient d'Argentine. Elle est malade et elle m'a priée de venir vous dire qu'elle ne pourra pas vous rencontrer pendant un certain temps.

Ce n'était presque pas un mensonge. La latino était réellement malade. Le reste n'était qu'un bricolage personnel de la vérité.

— C'est gentil à vous de prendre la peine de venir me le dire.

Nous nous sommes dévisagés mutuellement. Il avait des yeux perçants, très bleus, un nez droit, une bouche à moitié cachée par une moustache d'un blanc de neige et un menton bien rasé, orné d'une fossette. Son visage était traversé par tout un lacis de rides et de ridules, mais il avait le teint frais, les pommettes rosies par le froid et il semblait en meilleure forme que je l'avais supposé. Quel âge pouvait-il bien avoir? Si sa femme était morte à trente-cinq ans dans les années soixante-dix, il devait compter dans les soixante-quinze, quatre-vingts ans s'il avait à peu près le même âge qu'elle. Dans ses belles années, il avait dû être un homme très séduisant. Un vrai Casanova. Il avait d'ailleurs gardé son regard de conquérant et je me sentis rougir sous l'insistance de ses prunelles. Qui voyait-il devant lui? Une petite rouquine, un peu insignifiante qui faisait sa B. A. du jour, ou davantage?

Monsieur Roberge possédait à la perfection l'art de la conversation. D'un geste de la main, il m'invita à faire un bout de chemin avec lui dans les paisibles collines du cimetière.

— Et alors, par quel hasard avez-vous fait la connaissance de mademoiselle Rodriguez ?

— Alicia ? C'est la copine de mon frère Max.

Pas plus difficile que ça ! Pendant une bonne vingtaine de minutes, on a bavardé comme de vieilles connaissances. Même si j'étais sur mes gardes, j'ai fini par répondre à toutes ses questions. Notre famille, mes parents profs, Max qui était un petit génie en maths pures, moi qui me dirigeais vers les arts plastiques sans trop savoir si c'était ma voie, le traintrain quotidien… De mon côté, j'ai réussi à en apprendre pas mal sur le vieux monsieur. Tout comme nos parents, il avait été professeur. Lui, il avait enseigné la philo, l'histoire des religions et autres sciences de l'esprit à l'Université de Montréal, mais il y avait belle lurette qu'il avait pris sa retraite. Il était veuf depuis longtemps… « Vous pensez, mademoiselle, depuis plus de quarante ans ! » Au fil du temps, il avait perdu tout ce qui tenait la trame de sa vie. Il avait écrit quelques livres savants qui prenaient la poussière dans les bibliothèques universitaires. On lui avait demandé, pendant un certain temps, de donner des conférences… Mais le temps avait fait son œuvre. Tout le monde l'avait oublié. Il avouait d'ailleurs y être pour quelque chose, car il n'était pas très sociable et se montrait peu enclin à d'éventuelles concessions. Il assumait l'incontournable amertume de la vieillesse. Le seul lien tangible qui le rattachait au présent, c'était cette sépulture de granit rose où l'amour de sa vie était retourné en poussière. Beau temps, mauvais temps, il venait visiter la tombe de sa femme tous les jours, sorte de pèlerinage quotidien qui conservait un semblant de sens à son inutile existence. Il n'attendait plus rien de personne, plus rien du temps qui passe. La mort salutaire serait pour lui une libération.

Son histoire était infiniment triste et banale. Des milliers de vieux vivent le même oubli et survivent près de nous, les vivants, dans la plus complète invisibilité. Je me suis souvenue alors de mémère Jeanne qui n'avait jamais vécu un tel isolement physique puisqu'elle était entourée de son frère et de sa petite nièce, mais qui avait tissé un vide effrayant autour d'elle.

En quelques minutes, ce vieil homme inconnu avait réussi à me toucher et je me sentais éperdue de compassion à son égard. Je comprenais beaucoup mieux, maintenant, l'attitude d'Alicia et sa fidélité. Avec ma gaucherie coutumière, j'ai essayé de dérider l'atmosphère.

— Une chance que vous rencontrez parfois de gentilles bonnes fées comme Alicia dans les allées du cimetière. Je suppose que ça vous change un peu les idées… que ça met un peu de rose dans vos bleus… que ça vous aide, non ?

Monsieur Roberge s'arrêta brusquement de marcher et se tourna vers moi. Une lueur bizarre s'alluma dans ses yeux que je ne sus comment interpréter sur le coup. Un petit sourire se dessina sous sa moustache de neige.

— Plus que vous ne sauriez l'imaginer. Pour moi, mademoiselle Rodriguez, c'est une providence, une véritable providence, croyez-moi !

Une providence ! Pour quelqu'un qui n'attendait plus rien de la vie et qui ne semblait croire ni à Dieu ni à Diable, il y allait un peu fort avec les superlatifs, mais j'étais mal placée pour lui en faire la remarque.

Nous nous sommes quittés devant la grille d'entrée du cimetière. J'avais hâte de m'en aller. Avec l'élégance cérémonieuse du siècle dernier, monsieur Roberge ôta son gant et me tendit sa main droite. Je m'empressai de retirer ma grosse mitaine de laine. Comment expliquer ? La peau du vieillard était à la fois sèche et glacée. D'une poigne énergique, il serra ma main avec vigueur pendant un temps qui me parut très long, mais qui ne dut pas excéder quelques secondes. Durant ce bref contact physique, il parvint à me communiquer la douleur glacée qui coulait dans ses veines. Avec brusquerie, je me suis dégagée et, sur un dernier salut, j'ai patiné sur le trottoir jusqu'à la bouche de métro qui m'accueillit de sa bienveillante chaleur faisandée.

J'avais le moral dans les talons lorsque je suis arrivée à la maison. Jacinthe était installée sur le divan du salon avec le dernier *best-seller* de Dan Brown, les deux jambes reposant sur le pouf, douillettement recouvertes de son plaid en mohair. Sans rien dire, je me suis glissée près d'elle, me réchauffant à sa douceur.

— Ma maman poule, je t'aime !

— C'était bien, ton magasinage avec Justine ?

— Non, j'ai rien trouvé. Pas beau, trop cher !

— On y retournera toutes les deux si tu veux.

Encore un mensonge ! Si je continuais comme ça, je n'allais pas tarder à passer un diplôme de menteuse professionnelle. Avec mention. Le câlin de ma mère apaisait les tremblements de mon corps, sans dissiper tout à fait la tristesse qui étreignait mon âme. Mes pieds s'étaient réchauffés, ma main gauche aussi. Mais la droite, celle qui avait été emprisonnée par la poigne de monsieur Roberge, conserva longtemps l'empreinte sèche de ses doigts glacés.

Événement rarissime, Pierre et Max étaient partis hurler comme des malades à un match de hockey du Canadien, leur équipe chouchou. Je téléphonai donc à Alicia dans la soirée pour m'assurer que tout allait bien. Elle était chez elle bien tranquille, et sa voix s'était nettement améliorée. À court terme, aucun souci à me faire de ce côté. Comme tous les samedis soirs, Mamicha téléphona à la maison pour son placotage hebdomadaire avec sa fille. Jacinthe me passa la communication dans ma chambre.

— Tu vas bien ma chatonne ?

— Mamicha ! Mais oui ! Enfin… presque. J'ai pas trop la pêche aujourd'hui.

— Tu m'as appelée en début d'après-midi ?

— Oui. Je t'ai envoyé un petit message secret et je suis bien contente que tu m'aies reçue cinq sur cinq.

— Cinq sur cinq, c'est beaucoup dire. Mais je t'ai entendue. Rien de spécial ?

Je ne lui ai rien dit de mon escapade au cimetière. C'était inutile de l'inquiéter et, à tout bien considérer, il n'y avait pas de quoi fouetter un chat. Elle a quand même dû sentir que je lui cachais quelque chose car, avant de m'envoyer ses baisers habituels, elle a prononcé cette petite phrase ambiguë :

— Ne fais pas d'imprudences, ma chérie. Tu n'es pas encore très solide.

Elle avait raison. J'ai tourné toute la soirée comme un hamster en cage dans ma chambre, sans rien faire d'intelligent. J'ai même trouvé le moyen de brûler mon chemisier préféré en le repassant. Pour couronner le tout, je me suis mise à éternuer toutes les deux minutes, de plus en plus maussade.

À dix heures, j'étais couchée, hyper fatiguée sans avoir rien fait de particulier. À force de piétiner dans les allées glacées du cimetière, j'avais attrapé un bon rhume de cerveau. Pour les beaux yeux d'Alicia. Bien fait pour moi !

J'en ai eu pour quatre jours avant de me sentir à nouveau en forme. J'en ai toussé et mouché un coup. Jusqu'à en avoir mal au cœur. À tel point que Pierre a même suggéré de me conduire à l'urgence. On a fait appel à toutes les potions magiques de Mamicha. Et Jacinthe m'a concocté son riz au lait spécial pour réveiller l'appétit de la malade que j'étais devenue.

Au fond, toutes ces petites attentions n'étaient pas désagréables. C'était même assez chouette d'être « malade » puisque ladite maladie n'était pas vraiment grave. Max aussi s'était inquiété pour moi. Il était rentré un soir à la maison avec une grosse boîte de Ferrero Rocher et un paquet de magazines féminins envoyés par Alicia pour que le temps me semble moins long.

Quatre jours à paresser dans mon lit, à regarder des trucs débiles à la télé lorsqu'il n'y avait personne à la maison, à «oublier» joyeusement les travaux d'école que je devais remettre... Basta! C'était plus que suffisant. Le cinquième jour, j'ai cru que j'allais périr d'ennui. Après une douche énergique, Je suis allée respirer un peu dehors et j'ai fait le point.

Curieusement, et cela me devint évident aussitôt que je le pensai, j'avais fait le vide en moi pendant les derniers jours, entièrement préoccupée à recouvrer mes forces, évitant toute pensée contrariante. Pas une seule minute, je n'avais pensé à ma balade dans le cimetière et à ma rencontre avec monsieur Roberge. Mais maintenant que je me sentais mieux, j'avais envie d'en connaître un peu plus sur l'amoureux inconsolable de la *signora* Fiorini. Qui était-il au juste? Où demeurait-il?

Première étape: l'annuaire du téléphone. Un flop! Des Roberge, il y en avait au moins trois cents dans la seule région de Montréal. Et comme je ne connaissais pas le prénom du monsieur, ça ne me servait à rien de perdre mon temps de ce côté-là.

Restait l'Université de Montréal, où le vieil homme avait enseigné. Il y avait sans doute un bottin des profs présents et passés où je pouvais retrouver sa trace.

J'ai passé une bonne heure à me promener dans les arcanes virtuels de l'université avant de trouver trois profs qui portaient le nom de Roberge. Léon Roberge avait enseigné la biologie, de 1952 à 1985. Chercheur émérite, il avait pris une retraite bien méritée, après plus de trente ans d'enseignement, et avait reçu, en fin de carrière, un doctorat *honoris causa* de la prestigieuse université Harvard, pour couronner ses recherches. Il y avait aussi une dénommée Michelle Roberge qui enseignait depuis trois ans dans le jeune département d'études cinématographiques et qui semblait se spécialiser dans le cinéma du Sud-est asiatique. Ces deux-là ne correspondaient pas au profil que je recherchais.

Finalement, j'ai trouvé un professeur Claude Roberge. Sa notice biographique était très laconique. On y donnait sa date de naissance : 28 août 1932. Il aurait donc 78 ans aujourd'hui, ce qui collait à la réalité. Il avait enseigné la philo et plusieurs autres matières de 1962 à 1971. Même pas dix ans… ce qui était plutôt mince pour une carrière universitaire. Une bibliographie était jointe en annexe à la notice. Monsieur Roberge avait publié plusieurs livres savants, entre autres sur saint François d'Assise, et sur plusieurs autres personnages célèbres dont j'ignorais le nom et l'existence. Il avait aussi commis un essai comparatif sur les religions juive, chrétienne et islamique, les trois grands courants monothéistes de notre époque. Il ne semblait avoir reçu aucune distinction particulière au cours de sa brève carrière. Et après 1971, on ne faisait plus mention de lui nulle part… Sorti du circuit, oublié, effacé, *out*…

Sur la page, une ancienne photo avait été numérisée. C'était bien lui, dans sa jeune quarantaine, et je le reconnus aussitôt. Un pétard, si je peux m'exprimer ainsi ! Tellement beau qu'il aurait pu faire du cinéma, avec un regard incendiaire destiné à griller la première innocente à croiser son chemin. Et les autres aussi, les moins innocentes. Il avait dû avoir un succès phénoménal auprès de la gent féminine, ce qui rendait d'autant plus touchantes la dévotion et la fidélité qu'il portait à son épouse défunte.

On mentionnait également, tout en bas de page, que le professeur Claude Roberge avait écrit des chroniques régulières dans plusieurs journaux à grand tirage comme *La Presse* et *Le Devoir*. On disait que certains de ses articles avaient été repris de l'autre côté de l'Atlantique dans *Le Figaro* et *Vie chrétienne*, un mensuel dont, bien entendu, je n'avais jamais entendu parler.

Du côté de l'université, ça s'arrêtait là. C'était assez bizarre. J'avais souvent entendu Pierre s'indigner du fait que toutes les grandes boîtes d'enseignement du monde se gargarisaient des succès de leurs profs, jusqu'à les en déposséder, surtout lorsqu'il y avait des budgets de recherche à la clé. Si Claude Roberge collaborait avec les grands quotidiens sérieux de son époque, d'ici et d'ailleurs, pourquoi l'université restait-elle si discrète à ce sujet?

Sur Google, j'ai tapé «Professeur Claude Roberge», et là, j'ai frappé le *jackpot.* Pas loin de quatre cents entrées. J'avais de quoi occuper mon après-midi. Le personnage était souvent cité dans les dossiers des groupes de parapsychologie occulte qui sévissaient sur le Net. Ça devenait excitant, cette recherche.

Avant de m'embarquer là-dedans, j'ai tapé quelques mots-clés dans les archives de la Grande Bibliothèque pour me faire une idée de la prose de l'étrange professeur. Une bonne douzaine d'articles étaient répertoriés. Le cœur battant, je cliquai pour faire apparaître le premier texte, le plus ancien de tous, daté du 10 décembre 1965, et intitulé « Disparition mystérieuse d'Onésime Charbonneau ».

Ledit personnage était un jeune garçon de dix ans, un « enfant trouvé », autant dire un « enfant du péché » comme on disait encore à cette époque, qui avait été abandonné à sa naissance à la porte d'un couvent de bonnes sœurs de la région de Joliette, lesquelles l'avaient plus tard placé dans une famille d'accueil. Le jour de la Toussaint 1965, il s'était volatilisé de façon inexplicable, après une visite au cimetière avec ses nouveaux parents. Bien sûr, on avait fait enquête. Un gamin de cet âge ne disparaît pas comme ça. La Sûreté du Québec avait été dépêchée sur les lieux. La famille fut savamment cuisinée ; les copains et les profs de son école, longuement interrogés. Rien ! Introuvable. On a pensé à un crime crapuleux, à l'acte d'un pédophile… c'était logique. On a même arrêté un « robineux » qui traînait une mauvaise réputation dans la région. On a dragué la rivière, on a organisé une battue dans les bois avoisinants. Toujours introuvable, le petit ! L'enquête n'avançait pas d'un pouce. Le « robineux », qui avait un solide alibi, a été relâché et on s'apprêtait à clore l'enquête lorsqu'un coup de théâtre a ébranlé toute la région et même toute la province.

Trois semaines, jour pour jour, après sa disparition, le garçon a été retrouvé dans le cimetière où on l'avait vu pour la dernière fois, couché en chien de fusil sur une tombe. Il était entièrement nu et couvert d'une épaisse couche de crasse. Incapable de parler, grelottant et au bord de l'hypothermie, il regardait tout le monde avec des yeux terrifiés, émettant des grognements inarticulés dès qu'on essayait de le toucher. On l'a conduit toute affaire cessante à l'Hôpital Sainte-Justine, où on lui a administré un sédatif pour le calmer. Les infirmiers ont ensuite profité de son sommeil pour le laver et, là, on s'est rendu compte avec horreur que sa poitrine et son dos portaient de profonds stigmates semblables à des coups de griffes et des morsures. L'intérieur de ses paumes était brûlé au second degré et des ecchymoses parsemaient ses bras et ses jambes. Le pauvre enfant avait été torturé, mordu, griffé, brûlé et battu de façon sadique. Homme ou bête ? Qui avait bien pu se rendre coupable de pareille infamie ? Lorsqu'il s'est réveillé dans son petit lit d'hôpital, le garçon s'est révélé incapable de prononcer un seul mot compréhensible. En date de l'article, plusieurs semaines plus tard, Onésime n'avait toujours pas retrouvé l'usage de la parole.

Monsieur Roberge, dans un style net, précis et sans fioritures, avait tracé un portrait sombre de la situation. Pour conclure, il émettait une hypothèse glaçante : on était en présence d'un cas évident de possession diabolique. Le garçon avait été enlevé, drogué, envoûté, et on avait pratiqué sur lui des rites de magie satanique. Quelque part, aux alentours de la petite bourgade tranquille de Joliette, dans un rang reculé et anonyme, la magie noire sévissait en toute impunité.

Deuxième article, daté de janvier 1966 : « Les corneilles du Golem ». Là encore, il y avait de la sorcellerie dans l'air. L'article racontait que des centaines de corneilles se réunissaient dans un lieu sacré amérindien, proche de la frontière américaine, à l'endroit où un grand chef mohawk avait été récemment inhumé. Matin et soir, les oiseaux noirs tournoyaient en croassant au-dessus de la sépulture avant de se poser sur le sol, pour envahir l'espace tout autour. Impossible de s'approcher du lieu. Ceux qui s'y étaient risqués avaient fait face à un rempart de becs menaçants et de plumes hérissées. La « cérémonie des oiseaux » comme on l'avait appelée alors, durait environ une heure. Après quoi, les nuées repartaient bruyamment vers une destination inconnue. Monsieur Roberge y allait d'une interprétation originale. Selon lui, l'esprit du grand chef s'était transformé ou avait été capturé par un Golem, c'est-à-dire un esprit maléfique. C'était lui qui «appelait» les oiseaux noirs afin de les plier à son service. Si on le laissait faire, une multitude de calamités allaient s'abattre sur les environs, principalement sur la petite communauté autochtone qui habitait tout près. Dans l'au-delà, le chef sorcier réglait les comptes qu'il n'avait pas eu le temps de solder dans sa vie terrestre. De toute urgence, il fallait organiser des cérémonies sacrées pour «assainir» l'endroit et offrir des sacrifices afin de calmer le Golem qui commençait à dérailler sérieusement. L'article ne disait pas si ces conseils avaient été suivis.

Troisième dossier: «Objets sacrés retrouvés à Blainville», daté d'avril 1968. Toujours dans le même registre, un cambriolage étrange avait eu lieu à la petite paroisse Sainte-Perpétue de Blainville. Sans trace d'effraction aucune, une patène et un calice qui contenait une bonne vingtaine d'hosties consacrées, tous les deux en or massif et bouclés à double tour dans le tabernacle de l'église, avaient mystérieusement disparu. Dans la sacristie, le tiroir où les vêtements liturgiques du curé étaient pliés avait été bouleversé. Un surplis brodé, une étole et une aube blanche en dentelle manquaient à l'appel. On avait tout de suite pensé au vol puisque les objets du culte pesaient bon poids en or mais, en fin de compte, cette hypothèse ne tenait pas la route. Qu'est-ce qu'un voleur uniquement préoccupé du gain aurait bien pu faire d'habits brodés et d'hosties ? L'évêché avait pris l'affaire très au sérieux. Les vêtements et les objets en or, c'était ennuyeux, mais ça passait encore. Par contre, les hosties consacrées, c'était bien plus grave. Il y avait de la messe noire dans l'air.

L'enquête avait été menée par un jeune abbé, nouvellement intronisé, qui avait tiré l'affaire au clair avec intelligence et célérité. Puisqu'il n'y avait pas eu d'effraction, le larcin avait forcément été commis par quelqu'un qui fréquentait l'église et avait accès à la sacristie. Autrement dit, quelqu'un de confiance à qui on donnerait le Bon Dieu sans confession. Ses soupçons s'étaient vite portés sur le sacristain qui possédait un double de toutes les clés de l'église puisqu'il assumait une multitude de petites tâches pour la paroisse comme ranger et astiquer les objets du culte, préparer les habits selon la liturgie de la semaine, sonner les cloches, déblayer le parvis de l'église en hiver et assurer l'entretien des parterres de fleurs et de la pelouse en été. Mais était-il possible qu'un si brave homme, connu depuis plusieurs décennies comme un chrétien exemplaire, ait pu se rendre coupable d'un tel méfait qui allait flanquer toute sa vie en l'air? Lui, il était irréprochable, mais ce n'était pas le cas de sa fille, revenue récemment vivre avec son père après une errance de plusieurs années en Californie où elle avait soi-disant fait de longues études. À la suite d'une fouille en règle de la maison de ferme que le père et la fille partageaient, on avait effectivement retrouvé les objets en or, dissimulés dans l'auvent du toit. Maculés de sang et d'ordures, lacérés et réduits à l'état de lambeaux, le jeune abbé avait repêché les vêtements du curé dans la fosse à purin attenante à l'étable. Mais les hosties consacrées avaient bel et bien disparu. Personne n'avait été arrêté pour la bonne raison que la fille avait pris la poudre d'escampette dès qu'elle avait senti le vent tourner et qu'elle n'avait plus donné signe de vie depuis. Pour éviter les dérives des cinglés qui n'attendaient qu'un événement semblable pour annoncer la venue de l'Antéchrist, l'évêché avait préféré étouffer l'affaire. Cependant, le sacristain avait été puni pour deux: on l'avait prudemment relevé de ses fonctions à l'église, comme si tout était de sa faute, et le pauvre homme en avait perdu le goût de boire et de manger. Justice était faite!

Là encore, monsieur Roberge parlait de messe noire et de nécromancie, s'attardant longuement sur le sujet. Il décrivait avec un luxe de détails quasi malsain le déroulement de ces cérémonies occultes, où des psychopathes, par l'intermédiaire d'une hostie consacrée, pensaient accéder aux plus puissants territoires de la magie satanique. Sur le sujet, on pouvait dire qu'il en connaissait un rayon ! Un vrai pro !

Je suis sortie de ces lectures avec la chair de poule et un mal de tête lancinant. Je voyais maintenant le professeur Claude Roberge sous un jour bien différent. Le petit vieux inoffensif et d'une dignité figée, qui trottinait dans le cimetière en refusant d'oublier son amour d'antan, n'avait rien d'un homme ordinaire. Il s'était intéressé de façon j'oserais dire morbide, à des sujets terrifiants pour l'immense majorité des gens. Dans cette optique, ses visites quotidiennes à la tombe de sa femme cadraient tout à fait avec la personnalité du bonhomme que je commençais à peine à discerner.

Pour le moment, je n'avais pas vraiment envie d'en connaître davantage mais, juste avant de fermer mon ordi, en pitonnant une dernière fois sur le site du journal *La Presse*, je suis tombée sur l'entrefilet suivant :

La Presse – 25 juin 1971

Un professeur renvoyé de l'Université de Montréal

Le professeur Claude Roberge, enseignant au département de philosophie de l'Université de Montréal, vient d'être remercié et suspendu immédiatement de ses fonctions par décision unanime d'un conseil de discipline exceptionnel composé de ses pairs. Il n'a pas été possible de connaître les motifs d'un tel renvoi, les instances universitaires écartant toute possibilité d'entrevue. Le professeur Roberge refuse également de nous donner des détails, arguant que cette affaire va bientôt se retrouver devant les tribunaux, et que la décision de son renvoi est abusive et arbitraire. Le professeur Roberge est un de nos collaborateurs occasionnels et nous avons publié dans nos pages certains de ses dossiers qui ont fait grand bruit.

C'était le bouquet ! Le digne prof avait été renvoyé comme un malpropre… condamné par ses collègues. Il avait dû se produire quelque chose d'énorme pour que le prestigieux établissement d'enseignement se résigne à un tel scandale. D'ordinaire, toujours selon papa, les profs titulaires indésirables n'étaient pas vraiment « renvoyés ». On les mettait sur une tablette, on leur confiait des projets de recherche bidon ou on les envoyait en recyclage quelque part, le plus loin possible, pour ne plus les avoir dans les pattes. Mais un renvoi «par décision unanime d'un conseil de discipline exceptionnel composé de ses pairs», voilà qui sortait vraiment de l'ordinaire. Qu'est-ce qui avait bien pu se passer. QU'EST-CE QU'IL AVAIT FAIT?

Je n'ai pas desserré les dents de la soirée tant les questions se bousculaient dans ma tête. J'ai même réussi à inquiéter Jacinthe qui craignait une rechute. Finalement, j'ai préparé mes affaires pour retourner au cégep le lendemain matin et j'ai ainsi rassuré tout le monde. Si je restais bouclée encore une seule journée dans la maison, vissée devant mon ordi à regarder des trucs aussi débiles, j'allais péter une coche.

Et puis, il fallait que j'aie une conversation sérieuse avec Alicia. Comme elle fréquentait le sieur Roberge depuis bien plus longtemps que moi, elle savait sûrement plein de choses que je ne connaissais pas encore. En moi, je ressentais comme une sorte d'urgence: si je voulais la sortir du marécage malsain où elle s'engluait lentement mais sûrement, il fallait qu'elle me raconte TOUT!

Je savais par Max qu'Alicia allait beaucoup mieux et qu'elle avait recommencé ses activités coutumières. Je suis donc allée la rencontrer à l'improviste, un après-midi où Max avait trois cours importants en ligne. Ainsi, il ne risquait pas d'arriver comme un cheveu sur la soupe. Pour l'occasion, j'avais prévenu mon prof d'histoire de l'art que je ne me sentais pas encore très bien et que je préférais terminer mon travail de recherche à la maison plutôt qu'à la bibliothèque. Sans commentaire.

Il n'y avait pas un chat au Starbucks. Alicia était installée dans un coin avec une pile de factures devant elle. Le gérant adjoint du café lui confiait assez souvent le soin d'équilibrer les comptes et elle s'en sortait plutôt bien même si ce n'était pas sa spécialité. Elle avait bien des cordes à son arc, cette fille. Sans rien dire, je me suis assise devant elle et j'ai posé ma main sur son paquet de paperasses. Elle a sursauté mais, tout de suite après, son visage s'est éclairé d'un magnifique sourire.

— Isa ! Quelle surprise ! Mais qu'est-ce que tu fais là ?

— Je suis venue te voir. M'assurer que tout va bien pour toi.

— Ça, c'est super gentil. Tiens, je t'offre un cappuccino bien chaud pour ta peine.

Elle est revenue quelques instants plus tard avec un plateau portant une assiette de biscuits et deux grandes tasses de café mousseux saupoudré de chocolat. On a dégusté notre collation en échangeant des politesses. C'était toujours pas la grande familiarité entre elle et moi, et les dialogues traînaient en longueur. Finalement, alors que je reposais ma tasse vide sur la table, je me suis décidée à entrer dans le vif du sujet.

— Au fait, je suis allée au cimetière la semaine dernière pendant que t'étais malade et j'ai rencontré ton vieil ami.

— Monsieur Roberge ?

— Lui-même en personne. Toujours au même endroit, devant la tombe de sa femme.

— Mais pourquoi t'as fait ça?

— Je voulais l'informer que tu pourrais pas venir le voir pendant un certain temps parce que t'étais mal fichue. Super gentil, le monsieur.

— Et qu'est-ce qu'il a dit?

— On a discuté pendant une petite demi-heure en marchant dans les allées du cimetière. Exactement comme tu fais. Il t'apprécie beaucoup. Il m'a même dit que pour lui, tu étais «une véritable providence» – fin de la citation.

— Une providence?

— Ouais. C'est assez bizarre comme appréciation, mais c'est flatteur pour toi. Et il n'a que des bons mots pour «mademoiselle Rodriguez». Tu lui as tapé dans l'œil.

Elle s'est mise à rire, un peu gênée, en tripotant sa machine à calculer.

— Tu parles! Il pourrait être mon grand-père. Et il n'a aimé qu'une seule femme dans sa vie. Celle qu'il va voir tous les jours, beau temps, mauvais temps.

— Grégoria Fiorini? Qu'est-ce que tu sais de cette histoire?

— Je ne sais pas si je peux raconter tout ça. Ce qu'il m'en a dit, c'est confidentiel…

Là, je me suis fâchée un peu. Son cher vieux professeur attendrissant n'était pas tout à fait le vieil amoureux fidèle qui survivait dans le souvenir d'une morte. Il avait un autre visage, nettement moins sympathique. Je me suis donc décidée à la mettre dans le coup et je lui ai balancé tout ce que j'avais lu sur le Net au sujet du vieillard: sa carrière avortée, les événements étranges qu'il analysait avec tant de connaissances, le fait qu'on le citait comme une autorité sur un paquet de sites occultes et, enfin, son renvoi brutal de l'université.

Alicia ne m'a pas interrompue une seule fois, mais son visage a changé plusieurs fois de couleur et d'expression, passant de la gêne devant ce qu'elle devait considérer comme une indiscrétion énorme de ma part, à la confusion, et même à la répulsion lorsque je lui ai décrit les trois dossiers que j'avais lus dans les grandes largeurs.

— Bon, et maintenant, tu vas me dire ce qu'il t'a raconté. Tu vois bien qu'il est pas très net, ce vieux.

— Ne l'appelle pas comme ça. C'est quelqu'un de respectable et il a beaucoup souffert.

— Peut-être… j'attends! Décide-toi.

— Bon d'accord, mais tu vas être déçue parce que j'en sais bien moins long que toi.

— Vas-y, raconte!

— Tout ce que je peux te dire c'est qu'il a rencontré madame Fiorini à un récital privé où plusieurs professeurs étaient invités. Elle était chanteuse… mezzo-soprano… elle chantait des trucs baroques… Haendel, je crois, et aussi Vivaldi…

— Une chanteuse d'opéra ?

— Quelque chose du genre. Mais je pense pas qu'elle faisait carrière dans les grands théâtres. Elle avait peut-être pas le niveau voulu, ou alors c'était pas son truc… Mais elle se produisait dans des concerts privés, pour ses amis et ceux de son mari.

— Son mari ?

— Oui. Elle était mariée lorsque monsieur Roberge l'a rencontrée. Avec le professeur Paolo Bergonzi. Il enseignait lui aussi à l'université.

— Et alors ?

— Un coup de foudre incroyable auquel ils n'ont pas été capables de résister ni l'un ni l'autre.

— Mais elle était mariée…

— Justement, c'est là le hic. Leur amour était impossible.

— Je comprends ça ! Tu sais, au Québec, dans les années 1960, c'était le début de la Révolution tranquille. Rien à voir avec ce qu'on connaît maintenant. Les curés, c'était un peu comme la police des mœurs. On pouvait pas divorcer une fois qu'on était mariés. D'ailleurs, le divorce n'existait même pas. Tu vois un peu le tableau.

— J'imagine. En plus, elle était Italienne et son mari aussi. Autant dire qu'ils étaient enchaînés l'un à l'autre jusqu'à ce que la mort les sépare. Là-bas non plus, le divorce n'existait pas.

— Et alors? Qu'est-ce qu'ils ont faits?

— Je pense qu'ils sont devenus amants presque tout de suite. Ils ont vécu une double vie pendant plusieurs mois. C'était pas du goût de monsieur Roberge qui aurait bien envoyé tout promener pour l'amour de cette femme, mais ils n'avaient pas vraiment le choix.

— Et le mari, là-dedans, il savait?

— Pas au début, mais bien des cancans ont commencé à circuler. Il a fini par ouvrir les yeux. Sa réaction a été brutale. Il a donné sa démission à l'université et il est retourné en Italie en emmenant sa femme.

— Et Roberge?

— Il a failli péter les plombs. Il pouvait pas respirer normalement sans elle. Il s'est rendu en Italie à quelques reprises. Sa belle et lui ont réussi à voler quelques journées, quelques nuits... de quoi attiser leur désir sans jamais le contenter. Et puis, Paolo Bergonzi a eu un accident. Un banal accident. Je crois qu'il s'est noyé... je sais pas très bien dans quelles circonstances.

— Et bien sûr, dès qu'elle a été veuve, Roberge l'a épousée…

— C'est à peu près ça. Elle est revenue vivre à Montréal quelques semaines seulement après la mort de son mari et ils ont repris leur belle histoire d'amour là où ils l'avaient laissée.

— Ça a dû faire des vagues dans le milieu coincé de l'époque…

— Tu penses bien! Il y a eu un beau scandale et les mauvaises langues se sont déchaînées. Mais ils s'en fichaient pas mal. Ils étaient ensemble. Enfin.

— Si j'ai bien compris, ça n'a pas duré longtemps.

— La punition du ciel, sans doute. Grégoria avait toujours été de santé fragile. Le climat d'ici n'ayant rien à voir avec celui de son Italie du Sud, elle a attrapé une sorte de tuberculose galopante et elle est morte un an à peine après avoir épousé monsieur Roberge. Il a jamais su s'en consoler.

— Il a forcément dû se passer quelque chose d'autre puisqu'il s'est fait sacquer de l'université en 1971, un an après sa mort.

— De ça, je sais rien. C'est tout de même une belle histoire d'amour. Ne gâche pas tout avec tes soupçons mal fondés. C'est plutôt rare une fidélité semblable à une morte puisqu'il va la voir tous les jours. Beau temps, mauvais temps.

— Parlant de climat, ce serait pas une mauvaise idée que tu rencontres ton vieux chouchou ailleurs que dans les allées glacées du cimetière. Je te l'ai déjà dit. Tu devrais l'inviter à prendre un café ici. Ou dans l'un des innombrables restos de la Côte-des-Neiges s'il veut pas prendre le métro.

— Ben, peut-être... Je l'ai déjà suggéré dans une de nos conversations... mais il a pas l'air de m'avoir entendue.

— Pourtant, il est pas sourd. Tu devrais lui donner un ultimatum. Ou tu le rencontres dans un endroit chaud et civilisé. Ou tu le vois plus du tout. Tu verras bien ce qu'il va faire. Après tout, à part la compassion que tu éprouves pour lui, tu lui dois rien, à ce bonhomme!

Presque tout avait été dit. L'heure tournait. Je me suis tout de même permis d'insister.

— Tu sais, je comprends que tu aimes beaucoup t'entourer de fleurs et de plantes. Mais en ce moment, y a vraiment rien à recycler au cimetière. Ton sac va rester vide. Si t'as besoin d'un prétexte pour y aller, va falloir que tu trouves autre chose.

Elle m'a regardée d'un air triste, avec une grande nostalgie dans les yeux. Ensuite, elle a eu un petit rictus qui pouvait, à la rigueur, passer pour un sourire.

— Non, Isa, je crois que tu comprends pas. Tu ne peux pas !

— T'as raison. Je ne comprends pas encore tout, mais fais-moi confiance, je vais finir par y arriver.

Là-dessus, je me suis levée un peu brusquement en bousculant ma chaise. Elle m'énervait à la fin avec ses airs de madone intouchable. Moi, je ne cherchais qu'à l'aider. Mais est-ce qu'on peut aider les gens contre leur gré ? Pourquoi s'entêtait-elle à rencontrer ce vieux ? J'étais plus que jamais convaincue qu'il y avait quelque chose d'obscur dans toute cette histoire.

En rentrant à la maison, je n'arrêtais pas de penser à la passion de monsieur Roberge pour Grégoria. À quoi ressemblait-elle, cette femme ? Elle devait être merveilleusement belle pour l'avoir fait craquer aussi vite. J'avais un moyen infaillible pour le savoir et je décidai d'aller à sa rencontre le soir même.

J'ai attendu qu'il n'y ait plus un seul bruit dans la maison. Ensuite, j'ai fait le vide en moi. J'ai appelé la transe de toutes mes forces en me concentrant sur Claude Roberge tel que je l'avais vu en photo sur Internet. Les images du passé sont lentement montées à la surface de ma conscience, sans angoisse, ni douleur. Je maîtrisais de mieux en mieux mon petit pouvoir. Et je l'ai vu, lui, en premier…

Il se demande vraiment ce qu'il fait là, lui qui déteste les mondanités. Accoudé avec nonchalance sur le coin d'un buffet, un dry martini à la main, Claude Roberge toise la petite foule de son mètre quatre-vingt-cinq. Il les connaît tous, ou presque, et il les méprise tous, ou presque… Des petits profs sans envergure, uniquement préoccupés de leur carrière minable, attachés aux promotions et aux honneurs, se congratulant les uns les autres. Ils ont tous amené leurs épouses légitimes, même si pas mal d'entre eux se paient des aventures faciles avec leurs étudiantes ou leur secrétaire. Le directeur du département de philo est là, lui aussi. Un jésuite, impeccable dans un costume sombre éclairé d'un col romain. C'est lui qui a insisté pour que tout le gratin de l'université soit présent à la soirée de Bergonzi. Pour bien les accueillir, sa femme et lui. Pour leur montrer qu'on sait vivre dans le Québec catho et qu'on apprécie la musique. Et puis, un concert privé, dans le grand salon du Saint-James, le plus bel hôtel de la ville, c'est un événement exceptionnel à ne pas manquer. Claude Roberge est résigné à l'ennui. Enfermé dans sa solitude hautaine, il n'attend rien de personne.

Paolo Bergonzi demande à ses invités de bien vouloir s'asseoir. Le spectacle va commencer. Avec un murmure excité, la petite foule s'exécute et s'installe sur des chaises dorées alignées devant un piano à queue. Un paquet de partitions à la main, l'accompagnateur s'installe devant le clavier, organisant ses feuilles de musique devant lui. Un silence attentif se fait dans la pièce. Et la signora *Fiorini fait son apparition.*

Elle est petite et menue comme une poupée. Ses cheveux châtains sont coiffés en chignon bouclé et auréolent le dessus de sa tête. Elle porte une longue robe noire en velours, brodée de feuillages argentés sur le buste. Une étole vaporeuse couvre ses épaules. Ses pieds sont chaussés d'escarpins en satin noir d'une hauteur vertigineuse. Elle n'est pas belle à proprement parler, mais il se dégage de sa personnalité un charme infini. Son visage est celui d'une petite fille qui aurait grandi trop vite : un petit nez retroussé, de grands yeux bruns étonnés, une bouche en cœur, un front immense et deux fossettes profondes lorsqu'elle sourit. Elle s'incline devant la foule qui l'applaudit poliment. Avec grâce, elle enlève son étole et la dépose sur un coin du piano. On aperçoit alors la peau ivoirine de son décolleté éclairé d'un collier de perles et la naissance de ses seins.

Le musicien plaque quelques accords. Soudain, la voix de la signora *s'élève dans le salon guindé comme un oiseau qui retrouve sa liberté. Elle chante comme un ange. Enfermée dans sa musique, la cantatrice est ailleurs. Elle est dans un monde d'émotions complexes à exprimer, de virtuosité extrême, d'intense concentration. L'un après l'autre, elle enchaîne les arias. Personne ne doit se rendre compte à quel point ces musiques sont difficiles à interpréter. Des années d'efforts ont été nécessaires pour atteindre l'intonation voulue, pour posséder parfaitement les mélodies, pour donner à son timbre de voix cette chaleur veloutée qui est la réelle expression de son tempérament d'artiste. Ses mains et son visage expressifs sont tour à tour suppliants, vengeurs, énergiques, caressants… Habitée par la musique, la* signora *vit des passions que bien peu de ses auditeurs ont déjà côtoyées.*

En un seul regard, Claude Roberge a tout vu, tout compris. Dès qu'elle s'est mise à chanter, cette inconnue est venue le toucher dans le jardin secret de son âme. Pas une seule de ses nombreuses conquêtes n'a réussi auparavant un tel exploit. Sonné, il ferme les yeux pour mieux se laisser envahir par la présence de cette magicienne. Sa musique l'enveloppe, le berce, le console d'un très ancien chagrin. Il se sent nu, sans défense, vulnérable comme un enfant qui n'a jamais vécu. Pour lui, c'est comme une seconde naissance, un choc à la fois tendre et incroyablement douloureux. Et les larmes montent aux yeux de cet homme dur et réputé inaccessible.

Elle l'a vu, elle aussi. Elle a tout de suite remarqué l'élégante silhouette solitaire au fond de la salle. Elle n'a jamais aimé les hommes ordinaires et les compliments de surface. L'exquise douleur qu'elle lit sur le visage de cet inconnu la chavire. Elle comprend exactement ce qu'il éprouve, la même chose que ce qu'elle essaie d'exprimer avec des notes qui ont survécu à des siècles d'oubli. Cet inconnu, c'est son frère, son double, son âme sœur, celui qu'elle attend depuis toujours.

Les applaudissements et les vivats fusent. On se récrie. On l'ovationne. Cette femme est une chanteuse exceptionnelle, du même calibre que la grande Maria Callas… On se souviendra longtemps de ce récital. Un rappel, deux rappels, trois rappels… La cantatrice est au bord de l'évanouissement. Ces gens… ils ne savent pas à quel point la musique est exigeante. À quel point elle se nourrit de ses forces vives, comme un vampire insatiable. Mais l'adulation de la foule est une drogue indispensable qui lui permet de continuer malgré l'épuisement et les passages à vide. Elle ferait n'importe quoi pour s'abreuver à cette source. Elle se précipite en coulisse pour boire un peu d'eau et revient devant son auditoire. Un dernier morceau de bravoure, a capella, *pour clore en beauté la soirée, le grand air de* Carmen…

« L'amour est un oiseau rebelle,

Que nul ne peut apprivoiser… »

Elle chante pour lui seul. Il comprend le message. Son cœur est prisonnier d'un étau et son front se couvre de sueur. Sous ses cils noirs, elle le regarde intensément. Incapable d'en supporter davantage, il recule vers la porte et il s'enfuit quand s'éteignent les dernières notes.

«Si tu ne m'aimes pas, je t'aime.

Et si je t'aime, prends garde à toi...»

Sur le trottoir, Claude Roberge respire à grandes goulées. Des larmes brûlantes se perdent dans sa moustache bien taillée. L'étau se desserre tranquillement. Cette femme, cette presque petite fille, si fragile qu'il pourrait la casser d'une étreinte, il sait qu'il la reverra... qu'il la prendra. Comme un cadeau empoisonné qu'il n'espérait plus, il vient de tomber amoureux.

Je me suis retrouvée dans mon lit le cœur serré, moi aussi. Il y avait quelque chose d'inéluctable et de fatal dans cette rencontre. Un sentiment si intense qu'il excluait le bonheur, la douceur de vivre. Un amour sombre et passionné qui renverserait tout sur son passage, comme un ouragan, et qui allait exiger l'impossible... En proie à une telle ivresse, pouvait-on continuer à vivre normalement?

Une lune toute ronde brillait dans ma fenêtre. Je suis descendue à la cuisine pour reprendre contact avec ma réalité et boire un verre de lait. Lorsque je me suis recouchée, je me suis endormie au son de la musique de la *signora* Fiorini qui chantait une douce barcarolle. Juste pour moi.

DIX

Alicia s'est tenue tranquille pendant sept semaines très exactement. Elle suivait mes conseils et se tenait loin du cimetière. Elle n'était pas retombée malade et semblait pleine d'énergie. Connaissant son amour pour les végétaux, Max dépensait des fortunes pour fleurir l'appartement de sa chérie. À ce point que ça devenait ridicule, mais je me gardais bien de lui faire la moindre réflexion. Pour faire un jeu de mots poche, il m'aurait envoyée sur les roses. Il avait bien le droit de claquer son fric comme bon lui semblait et il avait l'air tellement heureux. Alicia venait toutes les semaines à la maison. Chaque fois, Papa succombait à son charme et il en faisait un peu trop quand elle était là. Ce n'était pas le cas de maman, toujours un peu soucieuse lorsqu'elle voyait son grand jeunot de fils enlacer cette belle fille et s'impliquer dans une relation qui prenait, selon elle, beaucoup trop d'importance dans sa vie.

La rechute a eu lieu un samedi soir, alors qu'on devait manger tous ensemble. Alicia était arrivée en retard, curieusement agitée, s'excusant mille fois de nous avoir fait attendre. Lorsqu'on a commencé notre soupe à l'oignon, je l'ai vue soudain pâlir et porter la main à son visage. Un filet de sang s'est mis à couler de son nez. Elle a jeté un regard désespéré vers Max qui s'est précipité pour lui apporter une boîte de Kleenex, mais elle a soigneusement évité de me regarder. J'ai tout de suite allumé. La folle! Elle y était retournée!

J'enrageais. Mais qu'est-ce que je pouvais bien lui dire pour l'empêcher de faire des conneries et arrêter tout ça? Elle était masochiste, cette fille, ou quoi? Furieuse, j'ai décidé de tourner la page. Qu'elle le rencontre son vieil amoureux, au cimetière ou ailleurs, et qu'elle en crève si c'était son destin! Moi, je m'en lavais les mains.

Mais ce n'est pas si facile de s'abstraire d'une souffrance aussi proche. J'avais en moi le don de l'apaiser, de soigner ses chagrins autant que ses plaies si elle voulait coopérer un peu. J'étais une Consolante et je ne pouvais pas me défiler.

Le climat s'est gâté à la vitesse grand V. De jour en jour, mon Max devenait plus morose. Même si je me gardais de lui poser des questions, j'étais au courant de la situation. Chaque semaine, Alicia se tapait un nouveau malaise. À ce compte-là, elle aurait bientôt fait le tour du dictionnaire médical. Le toubib de l'université ne savait plus à quel saint la recommander. Il parlait d'une batterie de tests approfondis à l'hôpital. La dernière catastrophe en date, c'était un choc anaphylactique hyper grave, une super allergie à un médicament soi-disant inoffensif pour soigner les crampes d'estomac. Elle avait été à deux doigts d'y passer. Une chance que Max était avec elle à ce moment-là. Pour une fois, mon frangin n'avait pas perdu les pédales ni perdu du temps à m'appeler. Il avait tout de suite su qu'il fallait la conduire immédiatement à l'hôpital.

Pour résumer la situation, épouvantée de sentir son énergie la fuir de tous bords, Alicia ne dansait plus, Alicia foxait plus de la moitié de ses cours, Alicia ne travaillait presque plus au Starbucks, Alicia n'avait plus envie de faire l'amour… Tout occupée à survivre, Alicia n'avait plus envie de vivre. Et mon frère qui n'y comprenait rien, le pauvre, était en train de perdre l'appétit.

Moi, j'en avais perdu le sommeil. D'instinct, je sentais que je devais me grouiller. Il y avait quelque chose que je n'avais pas compris ou pas voulu voir. Mais quoi ? La mort dans l'âme, je me suis décidée à reprendre tout depuis le début, à aller au cimetière Notre-Dame-des-Neiges, et à avoir une petite conversation entre quatre yeux avec le professeur Roberge. Après tout, c'était sa faute à lui si la copine de mon frère se trouvait dans ce lamentable état.

Il ne faisait pas trop froid en ce jeudi de la mi-mars et les jours commençaient vraiment à rallonger. Dans un peu plus de quinze jours, le 2 avril très exactement, on allait fêter nos dix-huit ans, Max et moi, et je voulais qu'Alicia soit à peu près en forme pour l'occasion. Après mes cours, une demi-heure avant la fermeture de la grille d'entrée du cimetière, j'ai marché résolument vers la tombe rose de la *signora* Fiorini. Sa belle voix chaude résonnait dans ma tête et son sourire à fossettes flottait devant mes yeux. J'entendais sa barcarolle et je me sentais irrésistiblement attirée vers le carré de terre et de glace où elle reposait.

Soudain, un signal d'alarme s'est mis à tinter dans mes oreilles. Stop ! Attention ! Danger ! Sans réfléchir, je me suis réfugiée dans une contre-allée à peine dégagée et je me suis dissimulée derrière un arbre. À moins de quinze mètres de moi, le professeur Roberge était assis sur un banc, se réchauffant au soleil frileux de cette fin d'après-midi d'hiver. Les yeux fermés, il levait son visage vers le ciel, mendiant quelques miettes de chaleur à l'astre oblique. Toujours aussi bien mis, avec son pardessus noir, son écharpe de soie et son chapeau de feutre, les deux mains sur sa canne à pommeau d'argent, il était immobile. Il attendait. Allait-elle venir aujourd'hui ? Il avait tant besoin d'elle, de son énergie, de son sourire. Il se sentait si faible, si seul. Pourquoi l'abandonnait-elle… comme les autres ?

J'extrapolais, bien sûr. Il avait l'air tellement mal en point avec son visage parcheminé et parsemé de mille rides que j'ai failli courir vers lui pour lui offrir un peu de cette chaleur qu'il mendiait en silence. Mais mes pieds étaient coulés dans le béton et je ne parvenais pas à bouger de derrière mon arbre. Sagement, j'ai obéi à mon instinct. J'ai attendu, moi aussi. La grille d'entrée allait bientôt fermer et j'étais décidée à suivre le vieillard de loin pour connaître enfin son adresse. Ailleurs que dans cet endroit désespérant, il y aurait sûrement moyen de lui parler de façon plus normale.

Il s'est levé, enfin convaincu qu'elle ne viendrait pas. Très lentement, le dos voûté, il s'est dirigé vers la stèle rose de Grégoria. Il s'est arrêté juste devant pour reprendre son souffle, près du bouquet de roses rouges éternelles, les deux mains posées à plat sur la pierre glacée. De loin, je voyais ses lèvres remuer. Il parlait avec douceur à sa défunte chérie, comme si elle était encore présente. Il lui racontait sa journée perdue à attendre, tellement semblable à la veille. J'étais infiniment triste pour lui. C'était pathétique !

Et puis, il est reparti. Aussi lentement et aussi voûté. Mais au lieu de se diriger vers la grille de l'entrée, il a pris une des routes secondaires qui descendaient vers l'entrée du quartier Outremont. Qu'est-ce qu'il allait fiche de ce côté-là ?

Et l'improbable est arrivé. Je l'ai perdu de vue alors que je le suivais à moins de dix mètres. Évanoui dans la nature, l'ancêtre. C'était impossible ! Je n'en croyais pas mes yeux. L'entrée du quartier Outremont, du côté du cimetière Mont-Royal, était située à une vingtaine de minutes de marche, et la porte principale du cimetière sur le chemin de la Côte-des-Neiges fermait dans moins de dix minutes. Jamais il n'aurait été capable de se rendre jusque-là à temps à son allure de souris. À moins que…

J'ai tourné comme un hamster en cage, à moitié enragée, en faisant de grands cercles ayant pour centre l'endroit probable où le vieil homme avait disparu. Il y avait une explication à ce mystère. Je

DEVAIS la trouver. Silencieusement, j'ai appelé à l'aide en dispersant mon énergie à tous vents, le cœur bourdonnant comme un fou. J'avais besoin d'un coup de pouce. D'aussi loin, pourraient-elles m'entendre, mes guides de Bretagne ? J'ai enjambé des talus de neige, escaladé des congères grisâtres, sauté des fossés. Je me suis accrochée à des arbustes, je me suis retenue à des croix anonymes… jusqu'à ressentir une étrange vibration entre les deux épaules et une poussée invisible dans le dos. Elle m'a sauté aux yeux. Devant moi, une dalle grise, très simple, où un seul nom était gravé :

JOSEPH CLAUDE ROBERGE
28 AOÛT 1932
25 SEPTEMBRE 1984

Ça collait ! Le même nom, puisque tous les Québécois mâles de cette génération portaient Joseph comme premier prénom. La même date de naissance que sur la page du bottin de l'université. Il ne pouvait y avoir d'erreur. Les jambes molles, je me suis laissée tomber contre la dalle grise. J'étais sciée.

Jusqu'à présent, j'avais refusé de voir la vérité en face mais, là, j'étais bien obligée de constater l'évidence. Claude Roberge était mort et enterré depuis plus d'un quart de siècle. Contrairement aux autres pensionnaires du lieu, il n'était pas retourné à la poussière originelle. Ses os soutenaient encore sa haute carcasse décharnée et l'étrange fantôme qu'il était devenu hantait son dernier royaume depuis une petite éternité, loin d'y avoir trouvé le repos. Comment une horreur pareille était-elle possible ?

Seize heures cinquante-trois ! Le cimetière fermait dans moins de sept minutes. Et s'il y avait une chose que je ne souhaitais surtout pas, c'était de me retrouver prisonnière de ce champ de mort glacé, à la merci du premier revenant venu. Prise d'une folle panique, j'ai dévalé les sentiers macabres jusqu'au portail et j'ai retrouvé avec reconnaissance le va-et-vient rassurant des vivants qui sortaient du travail, attendaient l'autobus ou faisaient leurs emplettes pour une petite soirée tranquille en famille.

Je devais avoir une drôle de tête, car les passagers du métro me regardaient avec insistance. Mon anorak était souillé de terre et mes bottes entièrement détrempées. Dans la vitre du wagon, j'ai aperçu mes cheveux en broussailles et mon air hagard. J'avais vraiment l'air d'une fille qui vient de voir un revenant.

Je suis rentrée en douce à la maison et j'ai filé directement à ma chambre pour mettre un peu d'ordre dans ma tignasse. Inutile d'inquiéter

Jacinthe qui préparait le souper dans la cuisine en chantonnant. Ma pauvre maman poule, je lui en cachais des choses ! Mais ce que je venais de vivre ne faisait pas partie des confidences racontables. Le téléphone s'est mis à sonner avec insistance. Tout de suite après, ma mère m'a appelée du bas de l'escalier.

— Isabelle ? Je t'ai entendue rentrer. Prends la communication. C'est Mamicha. Ça fait trois fois qu'elle appelle en moins d'une heure. Elle veut absolument te parler.

— OK, m'man. Je descends ensuite pour t'aider.

Au bout du fil, ma grand-mère était presque hystérique.

— Chatonne ? C'est toi ? Tu vas bien ?

— Mais oui, mamie ! Qu'est-ce qui se passe ? Pourquoi t'as l'air si affolée ?

— Ce serait plutôt à toi de me le dire, non ? J'ai clairement entendu ton appel, tantôt. C'était tellement net, tellement fort, que j'ai tout de suite compris que tu étais dans une situation périlleuse. Raconte-moi un peu ce qui t'est arrivé ou je vais devenir chèvre !

Mamicha avait un talent spécial pour les expressions folles destinées à nous faire rire, Max et moi. Dans d'autres circonstances, l'imaginer en chèvre m'aurait sûrement fait pouffer, mais là, je n'avais aucune envie de rigoler. J'ignorais l'avoir appelée mais elle avait tout de même capté le SOS que j'avais envoyé à tous vents lorsque Roberge avait brusquement disparu. Son amour tendre était constamment branché sur moi. Elle n'était peut-être pas une de mes «guides» à proprement parler, mais elle était sans aucun doute une sentinelle destinée à me protéger. C'était rassurant de ne plus me sentir seule dans l'univers glauque où j'avais posé la patte. Autant tout lui raconter depuis le début puisqu'elle n'avait pas l'intention de me lâcher.

À la fin de ma narration, elle a poussé un gros soupir. Moi aussi. J'étais embarquée dans quelque chose de beaucoup trop dur, beaucoup trop puissant pour mes petites forces. J'étais dépassée par les événements, démunie. Je ne savais vraiment pas quoi faire. Mais mon inestimable grand-mère était pleine de ressources.

— Ne te fais pas de souci, ma chatonne. Je vais faire des recherches dans ma bibliothèque. Et je vais aller fouiner sur Internet. Ton monsieur Roberge, c'est une âme souffrante qui n'a jamais accepté la disparition de la femme de sa vie. De quelle façon se maintient-il en vie ? Ça reste à voir. Mais je donnerais ma main à couper qu'il a pratiqué les sciences occultes durant sa vie terrestre. Pour être aussi bien documenté sur les cas de possession diabolique que tu m'as mentionnés, fallait qu'il en connaisse un rayon sur la question.

— Mais qu'est-ce qu'il est devenu au juste ? Un fantôme, un revenant, un spectre ?

— Un peu de patience. Je vais te revenir là-dessus aussi vite que possible. D'ici là, essaie par tous les moyens d'empêcher Alicia de le rencontrer.

— Facile à dire ! J'ai fait l'impossible. Elle dit oui mais dès que j'ai le dos tourné, elle n'en fait qu'à sa tête et cavale au cimetière.

— Alors, préviens Max. Qu'il ne la quitte pas d'une semelle.

— Mamicha, tu te rends pas compte ! On a nos cours, chacun de notre côté. Des horaires dingues. Des examens à préparer. Et puis, papa n'accepterait pas qu'il aille s'installer chez sa chérie. Déjà que ça fait un drame dès qu'il découche plus de deux jours d'affilée. Tu nous vois raconter une histoire pareille à Pierre, le sceptique ? Et je ne parle pas de Jacinthe, qui en ferait une dépression nerveuse. Quant à Max, tu le connais, il est presque aussi incrédule que papa. Même le nez en plein dedans, il niera jusqu'au bout une réalité s'il peut pas la transformer en équation.

— Ouais… on va trouver une autre solution.

— Mais toi, tu peux sûrement lui parler à Max. T'es pas obligée de tout lui raconter, tu n'as qu'à lui en dire suffisamment pour lui flanquer la trouille afin qu'il surveille de plus près sa copine. Aussi souvent que possible.

— Et comment je peux le joindre ? Tu as une idée ? En appelant chez vous alors qu'il n'y est presque jamais ?

Sans réfléchir, je lui ai filé le numéro ultraconfidentiel du portable de Max… et j'ai drôlement bien fait. Si je n'avais pas commis cette indiscrétion, je ne serais plus là pour en parler. Avec le recul du temps, je me rends compte que cette impulsion m'a sauvé la vie.

Bien difficile de continuer à vivre comme si de rien n'était, d'éplucher des carottes, de faire une vinaigrette, de couper du pain… alors qu'on vient de rencontrer un revenant… en chair et en os… J'ai tout de même fait bonne figure et ma mère a mis mon silence morose sur le compte des travaux de mi-session qui commençaient à me sortir par les oreilles.

Enfermée dans ma chambre, le front collé contre la vitre glacée, je suis vite retombée dans mon cinéma intérieur avec un mélange d'excitation et de terreur.

Grégoria et Claude sont seuls. Quelque part en Toscane, dans un paysage où la douceur de vivre est un art de tous les instants. Elle est au piano, dans le grand salon d'une maison amie et discrète. Elle chante pour lui, les mots et les notes de ce Schubert qu'il aime tant. Ils se sont retrouvés voilà trois jours à peine et sont déjà sur le point de se quitter. Elle doit donner un récital à Milan et retrouver son mari pour l'occasion. Il est debout devant la porte-fenêtre ouverte sur les étoiles. Il écoute avec désespoir cette voix qui incendie son âme. Il a mal partout. Trois nuits d'amour pour quatre mois de solitude amère, cela ne peut plus durer. Il se tourne vers celle qu'il vénère comme une idole. Il la regarde. Ses longs cheveux sont détachés et cascadent en boucles sur ses épaules. Sa peau blanche luit comme la nacre d'une perle, appelant les caresses. Il a soif d'elle, une soif inextinguible de tous les instants qu'il ne parvient jamais à étancher. Il ne peut plus supporter ces séparations et ces quelques heures volées à un quotidien qui ne lui appartient pas. Il ne lui en a pas encore parlé, mais il est obsédé par le sachet de poudre grise, caché au fond de sa valise. La liberté et l'avenir sont à leur portée. Ce serait si simple. Mais va-t-elle oser?

Oser quoi? Je n'étais pas sûre de comprendre. Soudain, j'ai pigé. Le petit sachet, la poudre grise… elle avait accepté, elle l'avait fait. Elle avait drogué ou empoisonné son mari pour provoquer un accident. La passion, la soif de possession pouvaient-elles mener à de telles extrémités?

Quelles autres épouvantables surprises cette histoire allait-elle m'apporter?

Juste avant de m'endormir, j'ai sursauté. Claude Roberge avait été enterré à la même date que son amoureuse, le 25 septembre, 14 ans jour pour jour après elle. Avec tout ce que je savais maintenant, cela n'avait rien d'une coïncidence.

Par moments, je me sentais tellement misérable, tellement impuissante, que je me recroquevillais au propre comme au figuré, au physique comme au mental. L'invitation de Justine arriva au bon moment: une fin de semaine dans les Laurentides à faire de la planche à neige et du ski entre filles, dans le condo de ses parents... J'avais drôlement besoin de me changer les idées, de déconner avec mes copines, de rigoler comme une débile, de laisser derrière moi toutes ces horreurs et de recharger mes batteries...

Lorsque je suis rentrée le dimanche soir avec un beau coup de soleil sur le nez, Max m'a regardée de travers. Mamicha l'avait appelé sur son cellulaire et il m'en voulait à mort de mon indiscrétion.

«Isabelle Legall, c'est la dernière fois que je te fais confiance! m'assena-t-il. Si Mamicha voulait m'appeler en dehors des parents, t'avais qu'à m'en parler d'abord. C'était à moi de décider si, oui ou non, j'allais lui donner le numéro de mon portable. Compris?» Comme il avait raison, je me suis excusée platement de mon indiscrétion, même si c'était pour la bonne cause. Inutile d'entrer dans les détails.

Le lendemain soir, Mamicha et moi, on a eu une très longue conversation. Elle avait tenu sa promesse. Enfermée dans son atelier plusieurs jours de suite, elle avait consulté tous les vieux bouquins bizarres et pleins de poussière qui encombraient sa bibliothèque. Et elle avait passé des bouts de nuits à naviguer sur Internet. Ses trouvailles étaient consternantes et plus qu'inquiétantes.

Claude Roberge n'était plus un humain à proprement parler. On était d'accord là-dessus. Mais il était animé par une force vitale qu'il prenait quelque part. Selon ce qu'elle avait lu, dans certains rites vaudou entre autres, un sorcier puissant pouvait ramener des morts à la vie en faisant des invocations et des sacrifices aux forces obscures. L'énergie vitale des animaux sacrifiés servait à tirer les défunts du royaume des morts et à en faire des zombies. Ces pauvres créatures étaient ensuite manipulées comme des marionnettes et obéissaient à ses moindres désirs. Des morts-vivants, il y en avait dans les folklores et les légendes de tous les pays. Pourquoi notre petite province tranquille aurait-elle été épargnée par ce fléau ?

Donc, si Roberge était un mort-vivant, il prenait son énergie quelque part. Mais où ? Cependant, il ne devait pas être un zombie puisqu'il n'était la créature de personne et ne semblait obéir à une autre volonté que la sienne. Il y avait une seconde possibilité. Le vieillard n'était pas « complètement » mort. De son vivant, on pouvait supposer qu'il avait pratiqué des rites secrets qui lui avaient enseigné à tomber dans une sorte de catalepsie létale, semblable en tous points à la mort, dont il pouvait s'extraire pour de courts laps de temps. Cette magie était très risquée. D'abord, il fallait sacrifier les années restantes de son existence terrestre et, ensuite, être à la merci d'une source d'énergie extérieure impossible à contrôler complètement. Seuls des officiants très puissants pouvaient manipuler ainsi la trame du temps.

Si j'écoutais mon intuition, j'étais assez d'accord avec cette seconde hypothèse.

Claude Roberge sortait régulièrement de sa tombe pour se balader dans les allées du cimetière, saison après saison. Mais le but de cette métamorphose et de cette survie macabre m'échappait totalement. Pourquoi avait-il choisi cette voie ? Pour veiller sur la tombe de sa défunte ? Pour se venger de quelqu'un ? Parce qu'il ne voulait pas mourir vraiment ? Tout cela ne tenait pas la route.

Mamicha avait une autre information glaçante à me communiquer. Tout mort-vivant ayant besoin d'énergie, Roberge ne faisait pas exception à la règle. Il avait besoin d'un flux vital qu'il volait à des humains innocents. Des cas de possession semblables étaient répertoriés un peu partout sur la planète. La plupart du temps, les victimes ne s'en rendaient même pas compte. Les plus fragiles en mouraient de langueur, sans que la médecine moderne puisse expliquer les causes de leur maladie, d'autres s'en sortaient relativement bien lorsqu'elles étaient capables de couper le contact. Mais c'était assez rare. La force de persuasion de ces créatures maudites était hypnotique, et elles jouaient sur toute la gamme des sentiments humains. Les pauvres proies étaient incapables d'échapper à leur emprise.

Pas question de mâcher ses mots ! Pour ma grand-mère, Claude Roberge était un vampire. Rien de moins. On était à des kilomètres du folklore habituel, du sombre seigneur de la nuit aux grandes canines, vêtu de noir, qui sortait de son cercueil dès que le jour tombait, de son baiser maléfique dans le cou de ses victimes pour se repaître de sang frais, de sa crainte de la lumière du jour, des croix, des gousses d'ail, des pieux plongés dans le cœur du monstre et autres détails croustillants... mais le résultat final était similaire.

Plus Mamicha me parlait et plus cela me devenait évident. Lorsqu'elle a raccroché en me faisant mille et une recommandations de prudence, j'étais dans un état d'énervement indescriptible. Elle avait tellement raison.

Je me souvenais très bien de ce que j'avais ressenti lorsque Roberge m'avait serré la main à la fin de notre brève rencontre. Cette sensation à la fois glacée et sèche lorsque ma peau avait touché la sienne. Ce froid qui s'était répandu dans tout mon bras et cette tristesse qui avait barbouillé mon cœur pendant des jours. Et il y avait aussi ce rhume de cerveau débile qui m'était tombé dessus sans crier gare et qui m'avait mise sur le carreau pour plusieurs jours. C'était comme ça qu'il volait l'énergie qui lui était nécessaire. Il appâtait les visiteurs qui se promenaient dans les allées du cimetière et engageait avec eux la conversation sous le premier prétexte venu. Son numéro était parfaitement au point. Un vieillard solitaire et si distingué... fidèle au-delà de la mort à une femme aimée… image parfaite de l'abandon et de la solitude, il y avait de quoi chambouler les cœurs tendres. Moi-même, je m'y étais laissé prendre. Une toute petite poignée de main… J'avais mis presque une semaine à récupérer. Combien d'innocents avait-il ainsi dépouillés de leur force depuis qu'il était enterré là? C'était monstrueux!

Et il y avait Alicia. Je comprenais maintenant ses visites répétées au cimetière et ses malaises constants. La pauvre fille était engluée dans les filets de la créature comme dans une gigantesque toile d'araignée et elle était incapable de s'en dépêtrer. Elle ne faisait pas le poids. Roberge avait dû la repérer facilement: une belle grande blonde qui chapardait les fleurs des défunts… pour lui, c'était un jeu d'enfant d'engager la conversation, de se faire le complice de ses larcins, de les encourager même… Ne méritait-elle pas d'être punie puisqu'elle volait les morts? Et puis, elle était si gentille, si prévenante, allant jusqu'à offrir son bras quand le vieux monsieur trébuchait. Le prix de cette gentillesse était effarant, certes, mais la pitié n'avait aucune place dans le monde où survivait l'avatar de Roberge.

Il fallait la sortir de là au plus vite. Je devais le faire, c'était mon travail de Consolante. Elle était à des années-lumière d'imaginer ce qui lui arrivait. Personne d'ailleurs ne comprenait quoi que ce soit aux multiples maladies qui minaient sa santé. Je me voyais mal informer un médecin de ce qui se passait réellement. Si je racontais à un professionnel de la santé qu'un revenant absorbait son énergie vitale par simple contact physique, on allait me passer la camisole de force. Mais comment faire pour la sortir de ce merdier ? Misère de misère ! Je n'en avais aucune idée.

J'ai pensé un instant à mettre Max dans le coup, mais j'y ai vite renoncé. Je n'avais aucune envie d'argumenter avec lui et d'être obligée de lui prouver par A + B que tout cela était plausible. Et puis, il avait d'autres chats à fouetter. Dans les circonstances, il était bien plus utile en surveillant Alicia et en l'empêchant de retourner dans ce foutu cimetière, en invoquant le fait qu'elle allait encore attraper la crève. Le plus urgent pour moi était d'en apprendre un peu plus sur le monde mystérieux de Claude Roberge. Dans quelle dimension survivait-il ? Combien de temps pouvait-il rester sans se nourrir de l'énergie des autres ? Utilisait-il cette énergie à d'autres fins ?

Au-delà de tout cela, il allait falloir vivre comme si de rien n'était, respecter l'horaire des cours, finir mes travaux, étudier pour les examens de mi-session, avoir des conversations anodines avec les parents... Je commençais à trouver que c'était tuant de vivre ainsi à deux niveaux. Une chance que j'avais Mamicha. Elle, au moins, elle me comprenait, elle savait ce que je vivais. Comme un baume, je sentais sa présence aimante autour de moi. Mais ce n'était pas suffisant. J'avais besoin d'aide pour m'aventurer dans ces zones d'ombre inconnues. Est-ce que je faisais le poids face à la puissance de Roberge ? Et puisque j'avais établi un contact physique avec lui, est-ce que j'allais être sa prochaine victime ? Cette curiosité morbide qui m'habitait, était-ce les premiers fils que l'araignée diabolique tissait autour de moi ?

Au moins, je pouvais l'espionner avec le petit pouvoir qui était le mien. Mais j'avais peur. Ce type, il était bien plus fort que moi. Il avait des années d'avance.

J'ai essayé de mettre les chances de mon côté. Je me suis assurée, cette nuit-là, que Max était dans sa chambre, à quelques mètres de moi, à piocher sur son ordi. Sa présence me rassurait. J'ai pris le téléphone cellulaire que nous partagions et j'ai réglé la sonnerie du réveil, sur sa fréquence la plus forte, une demi-heure plus tard. S'il m'arrivait quelque chose pendant ma transe, la sonnerie allait alerter mon frère qui viendrait aussitôt me traiter de tarée de faire autant de bruit en pleine nuit. C'était bien peu mais c'est tout ce que j'avais trouvé pour me protéger. Et là je suis partie à sa recherche. Il n'a pas été facile à repérer. Il avait érigé des barrières protectrices entre son monde et le nôtre. J'ai dû m'y prendre à plusieurs reprises, en lui ordonnant de se faire voir, avec toute l'autorité dont je disposais.

Il est dans un lieu étrange, une très grande pièce sombre dont on ne voit pas les murs, chichement éclairée par le plafond. Tout est très vague. Une sorte de brume qui stagne sur le sol estompe tout ce qui pourrait servir de point de repère. Roberge est là, debout, et il regarde fixement devant lui. Il ne bouge pas mais il tient un gros livre dans une main. Le silence est total. Il s'approche de ce qui doit être une table et saisit une coupe en métal. Il se dirige ensuite vers un corps recroquevillé sur le sol dans un coin, recouvert d'un cocon d'une étoffe inconnue qui diffuse une faible lueur. Il s'agenouille. Il ouvre le livre et commence à psalmodier. Ensuite, il se penche. Du bout des doigts, il soulève le drap et approche la coupe du gisant. Impossible de comprendre ce qu'il fait au juste. Il se retourne brusquement et fixe les ténèbres en direction de l'indiscrète petite rousse qui l'espionne. Son visage se rapproche, se rapproche… il tend la main vers elle…

Sauvée par la cloche ! J'ai été ramenée à la réalité en un dixième de seconde par la petite musique idiote *«Happy birthday to you...»* du cellulaire. Le temps de claquer le rabat et Max avait déjà jailli dans ma chambre comme un ressort.

— T'es pas un peu malade, Isa, de faire un tapage pareil... Tu veux vraiment réveiller nos vieux... T'as vu l'heure qu'il est... Mais qu'est-ce que t'as ?

J'étais secouée de sanglots incontrôlables. J'avais eu tellement peur. Je serrai ma couette de toutes mes forces en hoquetant. Mon frérot a fait exactement ce qu'il fallait faire. Il s'est approché de mon lit et il m'a prise dans ses bras en me berçant comme quand nous étions petits et que je me réfugiais près de lui pour consoler un gros chagrin. Il n'a plus rien dit du tout, respectant ce déluge de larmes qu'il ne comprenait pas. De temps en temps, il arrachait un Kleenex de la boîte et il me tamponnait les yeux et les joues. À la fin, j'ai fini par me calmer. Max m'a alors regardée en fronçant les sourcils.

— T'es allée où, Frangine, pour te mettre dans un état pareil? Pourquoi tu fais tout ça? Pour Alicia ?

Pas si dépourvu d'intuition que ça, le Big Max. Je le sous-estimais. J'ai fait oui de la tête. Je n'étais pas capable de parler, ni de lui expliquer. Au bout d'une bonne heure, après s'être assuré que j'étais correcte, il est retourné dans sa chambre en laissant nos deux portes ouvertes. Je me suis allongée dans la tiédeur rassurante de mon lit, convaincue que je n'allais pas fermer l'œil de la nuit. Mais un souffle bienfaisant est venu baigner mes yeux et je suis tombée dans un rêve que je n'avais pas sollicité.

Devant moi se trouve une femme inconnue, sans âge. Elle sort de l'eau comme une ondine et se tient immobile en surface. Ses lèvres bougent mais je n'entends pas ce qu'elle dit. Dans ses deux mains jointes, elle tient une fiole contenant un liquide rouge vif qu'elle tend vers moi. Elle semble répéter toujours la même phrase et son visage devient de plus en plus soucieux, car je ne comprends pas. Je me concentre au maximum sur ses lèvres. Je saisis enfin ce qu'elle me rabâche depuis au moins une heure: «Le lien du sang, Isabelle, le lien du sang. Prends garde au lien du sang… Regarde!» Lentement, elle verse le liquide rouge dans l'eau, tout autour d'elle. La fiole vidée, son corps semble se dessécher, perdre toute substance, se froisser comme un vieux morceau de papier. Puis elle disparaît. Sur l'eau, une fine pellicule rosâtre demeure un instant à l'endroit où elle s'est tenue puis elle est emportée par une vague.

Ma guide! Une de mes guides était venue me visiter et m'apporter un message important. Il fallait absolument que je le comprenne.

J'ai réfléchi tout le reste de la nuit aux deux visions que je venais de vivre. Ce qui me terrorisait le plus, c'était de savoir que Roberge m'avait vue. Il savait que je l'avais espionné, que j'avais des pouvoirs, et il m'avait identifiée. Il avait même voulu me saisir. Comment était-ce possible ? Et puis, dans ce *no man's land* bizarre où il survivait, il n'était pas seul. C'était quoi, c'était qui, ce corps qui gisait sous le drap ? Qu'est-ce qu'il s'apprêtait à faire ? Avec horreur, une réponse s'imposa brutalement à moi. C'était une de ses victimes, bien sûr, une de celles dont il vampirisait l'énergie vitale. La dernière en date : la projection virtuelle d'Alicia, qui n'était plus que l'ombre de la belle fille que mon frère aimait…

À l'opposé, ce qui me rassurait un peu, c'était de savoir que je n'étais pas seule. Mamicha et mon grand Max étaient là. Et mes guides ne me lâchaient pas. Elles allaient m'aider à sortir Alicia des griffes de ce monstre. Elles allaient me donner les armes pour couper le lien qui l'unissait à elle.

Car je n'allais pas en rester là !

J'y suis retournée deux jours plus tard. Si ça continuait, j'allais devenir une habituée du cimetière, moi aussi. J'avais décidé de foxer mon premier cours, celui qui commençait à 8 h du matin, et de me rendre directement près de la tombe du professeur Roberge. Je savais que la grille du cimetière Mont-Royal, du côté d'Outremont, restait ouverte toute la nuit, alors que la porte principale du côté du chemin de la Côte-des-Neiges n'était jamais ouverte avant 9 h.

Ce matin-là, une petite brume glacée recouvrait tout d'un frimas blanc et s'insinuait sournoisement entre les épaisseurs de tissus dont j'étais couverte. Je grelottais d'énervement autant que de froid. J'ai pris mon poste d'observation derrière l'érable et j'ai attendu qu'il se montre. Même si j'avais la peur vrillée au ventre, ma curiosité était intense. Je grillais de savoir comment il allait s'y prendre pour réintégrer son apparence humaine.

Le cimetière commençait à s'éveiller. Du côté de l'entrée principale, j'entendais des portières de voitures claquer, des portes qu'on ouvrait, quelques éclats de voix. Les employés arrivaient. Au bout d'un certain temps, un véhicule d'entretien a démarré péniblement, enroué comme un chat à cause du froid. J'ai entendu le petit tracteur crachoter un bon moment et finir par se mettre en route. Je me sentais un peu moins seule.

Le soleil s'est levé, perçant la brume, transformant l'immense champ de mort en magie scintillante. C'était à couper le souffle et je n'en finissais de m'étonner que la beauté et l'horreur puissent cohabiter aussi facilement.

J'ai poireauté une bonne demi-heure, complètement frigorifiée. J'avais pris la précaution de remplir mon thermos de thé brûlant et je m'en étais versé plusieurs gobelets quand, tout à coup, un changement subtil et presque imperceptible a attiré mon attention. Tous les sens en éveil, j'ai regardé dans cette direction.

Il se trouvait debout devant la stèle où son nom était inscrit. Sa haute silhouette m'apparut comme diaphane, un peu transparente, sans couleur précise. Parfaitement immobile, il attendait. Sa métamorphose était subtile et progressive. De minute en minute, les contours de son corps se précisaient, prenaient de la densité. Les vêtements qui l'habillaient devenaient plus visibles: noir le pardessus, gris le chapeau de feutre, beige l'écharpe de soie qui protégeait son cou. Il lui fallut cinq bonnes minutes pour se transformer en vieillard. Avec une surprenante souplesse, il s'est penché vers le sol et a empoigné sa canne à pommeau d'argent. Ensuite, il a fait quelques mouvements de torsion pour réveiller ses membres engourdis. Puis, il a sauté dans l'allée et s'est mis à marcher à grands pas.

Trop fort quand même ! Même si je m'attendais à une apparition semblable, l'imaginer ou la constater *de visu* étaient deux choses bien différentes. Je l'ai suivi de loin pour voir ce qu'il allait faire. Dès qu'il a entendu le bruit du tracteur d'entretien qui s'approchait, il a endossé son personnage. Son dos s'est voûté et il a ralenti son allure, adoptant la démarche hésitante d'un vieux monsieur s'appuyant sur une canne. À petits pas, en faisant bien attention à ne pas se mouiller dans la neige fondante, il s'est rendu jusqu'au poste d'observation et s'est assis sur un banc, face au soleil, en fermant les yeux.

Deux choses étaient évidentes. *Primo,* il ne fallait surtout pas se fier à son allure de vieillard fragile. En un instant, il pouvait se transformer en personnage redoutable. Donc, mieux valait se tenir hors de sa portée. *Secundo*, sous sa forme « terrestre », il n'avait pas perçu ma présence, alors qu'il m'avait « vue » au cours de ma transe et avait été sur le point de me saisir. Cela voulait dire que ses pouvoirs étaient amoindris lorsqu'il reprenait sa densité humaine. Mais ce n'était que spéculations. Prudence… il me fallait être TRÈS prudente.

Sur son tracteur, le jardinier du cimetière avait terminé sa tournée des tombes. Sa remorque contenait quelques bouquets cassants comme des glaçons. Même si on n'enterrait pas les gens en période de grand froid, il y avait toujours des visiteurs un peu fêlés qui venaient déposer des fleurs sur les stèles de leurs chers disparus. Des fleurs qui étaient immédiatement rigidifiées par le gel. Son boulot, c'était de ramasser tous ces déchets et de les jeter dans la fosse à compost où, là au moins, elles allaient retrouver une petite utilité, une sorte de seconde vie, dès que la température permettrait leur décomposition.

Le jardinier semblait bien connaître le vieillard fragile assis au soleil, car il engagea tout de suite la conversation avec lui.

— Bonjour, Monsieur Roberge. Beau temps aujourd'hui, hein ! La météo annonce 10° au-dessus de zéro pour cet après-midi.

— Tant mieux, tant mieux… mes vieux os ont besoin de soleil.

— C'est sûr ! Et votre gentille copine va peut-être venir aujourd'hui.

— Peut-être bien, mais on ne peut jamais être sûr.

— Ça fait un bout de temps qu'on l'a vue. Elle est malade ?

— Je n'en sais rien. Mais avec le temps qu'il fait, ça n'aurait rien d'étonnant.

— En tout cas, si elle vient, elle aura pas grand-chose à se mettre sous la dent. Toutes les fleurs sont bonnes à jeter. Rien de récupérable là-dedans ! Allez, ciao ! Je vous laisse. On a plusieurs crémations aujourd'hui… Bonne journée et faites attention, il y a encore de belles plaques de glace dans certaines allées…

— Merci, et bonne journée à vous aussi…

Sa « copine » ! Elle était un peu forte, celle-là ! Le jardinier, et peut-être plusieurs autres employés du cimetière, connaissaient parfaitement les habitudes du vieillard et de celle qu'il rencontrait. Alicia, pour ne pas la nommer. Il savait ce qu'elle cachait dans son sac de toile et il allait jusqu'à rencarder le vieux pour qu'il informe sa « copine » des aubaines du jour à saisir. C'était vraiment n'importe quoi !

J'ai foncé. Il fallait que ce petit manège cesse. Qu'il laisse Alicia tranquille, ce monstre ! Qu'il retourne dans l'étrange monde qui était désormais le sien et d'où il n'aurait jamais dû sortir. Rassemblant tout le courage qu'il me restait, j'ai marché d'un bon pas et je me suis plantée devant lui, assez loin pour qu'il ne puisse pas me toucher. Je devais avoir l'air assez désespérée, car il s'est permis un petit sourire narquois après m'avoir longuement dévisagée.

— Tiens, vous voilà, vous !

— Bonjour, Monsieur Roberge. Vous avez passé une bonne nuit ?

Pas très fort comme entrée en matière, mais je n'avais rien trouvé de mieux.

— Nuit agitée ! J'ai fait des cauchemars. Dans mon rêve, une petite indiscrète se permettait de violer mes secrets.

— Je vous ai vu ! C'était moi. Et ce matin aussi, je vous ai vu… prendre votre apparence humaine en quelques instants. Pourquoi vous faites tout ça ?

— Je le sais bien que c'était toi. Moi aussi je t'ai vue. Et pour le reste, tout cela ne te regarde pas, jeune fille !

— Si ! Vous volez toute l'énergie d'Alicia. Depuis qu'elle vous a rencontré, elle est toujours malade. Elle est obsédée par ses visites au cimetière et ses rencontres avec vous. Qu'est-ce que vous lui faites, au juste ?

— Ce n'est pas moi qui lui ai demandé de venir ici. Elle visite le cimetière de son propre gré. Nous aimons tous les deux les lieux tranquilles…

— Et les fleurs…

— Bien sûr, les fleurs. Ce n'est pas moi non plus qui lui ai demandé de dépouiller les tombes de leurs couronnes. C'est tout de même une habitude étrange, non ?

— Peut-être ! Mais ce n'est pas une raison pour lui voler sa vie. Je sais comment vous vous y prenez… une sorte de transfert. C'est ça ? La seule fois où je vous ai touché la main, j'ai mis plusieurs jours à m'en remettre. Et Alicia, chaque fois qu'elle vous tend le bras pour vous aider à marcher, elle se retrouve à l'hôpital. Vous êtes un bel hypocrite. Tout le monde se laisse prendre à votre numéro bien rodé de « vieux fragile ». Moi la première !

— J'avoue que c'est un jeu d'enfant de créer des liens avec les habitués du cimetière. Les humains sont tellement prévisibles.

— Alors vous n'êtes plus un humain, si je vous comprends bien ?

— Pourquoi me poser la question puisque tu connais la réponse ?

— Mais qu'est-ce que vous êtes au juste ? Comment faites-vous pour survivre puisque ça fait plus de 25 ans que vous êtes enterré ici ?

— C'est en dehors de ta compréhension, jeune sotte !

— Je suis peut-être une sotte, comme vous dites, mais je sais que vous retenez Alicia prisonnière dans votre antre. Je vous ai vu vous approcher d'elle pour la torturer…

— ASSEZ !

Il s'était brusquement levé, redressant sa haute silhouette. Il n'avait plus du tout l'air d'un petit vieux sénile. Ses yeux lançaient des éclairs de colère. Prudemment, j'ai commencé à reculer. Je ne voulais surtout pas qu'il me touche ou, pire, qu'il me saisisse. Je n'étais pas encore assez forte pour établir ce genre de contact avec lui.

Soudain, alors que j'étais à une dizaine de pas de lui, il a levé sa canne à pommeau d'argent et l'a pointée sur moi. Une décharge électrique a secoué tout mon corps. Une onde noire comme de l'encre s'est enroulée autour de moi et, pendant quelques instants, je n'ai plus rien distingué du monde réel. Devant mes yeux, des images se sont mises à défiler à toute vitesse : tortures, paysages dévastés, ruines, guerres, enfants et femmes maltraités… avec, sur tout ce cinéma horrible, l'accablante certitude qu'aucun bonheur, qu'aucune rédemption n'étaient possibles, que les seules valeurs des humains étaient la cruauté, la cupidité, le mépris, la puissance de l'orgueil… Il envoyait vers moi une onde de haine pour me déstabiliser. Fuir ! Je devais fuir loin de son influence. Je ne faisais pas le poids. Vite ! J'ai commencé à courir pour lui échapper.

Silencieusement, je me suis mise à supplier dans toutes les directions. À L'AIDE ! NE ME LAISSEZ

PAS SEULE AVEC LUI ! J'ai immédiatement senti la présence de ma grand-mère comme un bouclier protecteur et une voix inconnue m'a soufflé ce que je devais faire. Ne pas me laisser envahir par cette horreur obscure et débilitante. Tout cela n'était qu'illusion malfaisante. Reprendre mon souffle et répliquer avec mes propres armes.

Je me suis immobilisée et j'ai ralenti ma respiration durant quelques secondes, autant que je le pouvais malgré ma panique. Ensuite, j'ai tendu mes mains vers lui et je lui ai envoyé mes forces de Consolante. Non, le monde n'était pas que ruines et massacres où seuls les plus forts parviennent à tirer leur épingle du jeu en dominant les plus faibles. Il y avait aussi l'amour, l'amitié, tout ce qu'il était possible de construire avec de l'intelligence, de la passion et de la patience. Il y avait le soleil, la couleur des saisons, la magie de la musique qui survivait à l'oubli, la douceur et la fierté, la beauté et l'allégresse. Lui et moi, nous savions tous les deux que la vie était un équilibre subtil entre le bien et le mal… que de la mort renaissait toujours la vie… et que la vie n'était jamais éternelle. Que du chagrin et du désespoir naissaient parfois des rêves. Que les fleurs des morts pouvaient servir à enchanter un jardin secret comme celui d'Alicia. Que la solitude pouvait forger une voix qui ressemblait à un miracle comme celle de Grégoria ! Qu'il n'y avait pas d'ombre sans lumière.

Lorsque j'ai ouvert les yeux, j'ai vu sa haute silhouette se détourner de moi et je l'ai entendu gronder. Dans le monde où il survivait, tout cela n'avait plus de sens depuis longtemps. Le bonheur n'était qu'un but lointain, jamais atteint, un poids insupportable et rejeté. Pétrifiée, je l'ai vu reprendre son masque de vieillard et s'éloigner de moi aussi vite qu'il le pouvait en s'appuyant sur sa canne. Pour cette fois, j'avais gagné, mais ce n'était que partie remise.

Cependant, je ne lui avais pas dit tout ce que j'avais sur le cœur. Je l'ai donc rattrapé pour essayer de le convaincre.

— Libérez Alicia. Laissez-la en paix ! Vous devez accepter que votre vie est terminée. Ça ne sert à rien de tourmenter les petites vies que vous méprisez. Vous avez d'autres mondes à conquérir. C'est là que vous retrouverez celle que vous aimez.

En plein dans le mille ! Roberge s'est retourné vers moi, le visage ravagé par la fureur en un masque effrayant qui n'avait plus rien d'humain.

— Pauvre petite apprentie ! Tu n'as rien compris.

— Je ne vais pas laisser Alicia mourir à cause de vous, vous pouvez me croire.

— Écarte-toi de mon chemin si tu ne veux pas que je t'écrase comme l'insecte insignifiant que tu es.

— Sûrement pas!

— Alors tant pis pour toi! Tu ne peux pas gagner.

— On verra bien…

Ma voix, que je croyais si assurée, s'est brisée sur ces mots. Le vieillard avait de nouveau disparu, réfugié dans les contrées sombres qui abritaient ses manœuvres sordides. J'étais seule dans ce cimetière illuminé de soleil, le cœur barbouillé de chagrin et de crainte. Il était tellement plus fort que moi… Même si je venais de gagner une petite bataille, je savais bien qu'il n'allait pas en rester là.

J'ai regardé ma montre. Dix heures du matin. La journée était encore toute jeune. Il fallait absolument que je prévienne Alicia. J'ai appelé chez elle. Personne! À cette heure-ci, elle devait être à l'université. J'ai essayé de rejoindre mon frère mais son *cell* restait muet. Il devait être en cours, lui aussi. Alors, comme une bonne fille, j'ai pris le métro et j'ai réintégré ma peau de petite élève un peu délinquante.

Je ne pouvais plus garder tout ça pour moi sinon j'allais étouffer. J'avais besoin d'aide. Il fallait absolument que je trouve une façon de convaincre Max du danger que représentait le professeur Roberge pour Alicia. Mon frère n'était peut-être pas aussi incrédule que je le pensais, mais j'allais tout de même avoir toute une côte à monter avant de le convaincre de ce que j'avais découvert.

Pendant l'heure de la pause de midi, au lieu d'aller à la cafétéria, je me suis précipitée à la salle multimédia et j'ai imprimé les trois articles publiés autrefois par le brillant professeur, spécialiste des sciences occultes et des situations horrifiques.

Ces feuilles imprimées étaient tangibles et, je l'espérais, assez convaincantes pour une belle entrée en matière.

J'ai retrouvé Max en fin d'après-midi, à la bibliothèque. Il était assis près d'une fenêtre, l'air morose, les yeux perdus dans la grisaille du soir qui tombait sur la neige. J'ai déposé mon paquet de feuilles sur ses bouquins, avant de lui serrer furtivement l'épaule. Il s'est comme réveillé en sursaut et m'a brièvement souri.

— Faut qu'on se parle, Maxou. Mais auparavant, lis tout ça. Je vais attendre. J'te jure que c'est sérieux !

Je devais avoir ma tête des grands jours car il a acquiescé sans rien dire et il s'est tout de suite mis à lire. Je pouvais suivre sur son visage tous les sentiments que lui inspiraient les trois articles en question. À la fin de sa lecture, il a levé des yeux pleins de points d'interrogation vers moi. Ses pommettes étaient rouges d'énervement. Bingo ! Je l'avais bien accroché.

— C'est quoi toutes ces conneries ? C'est qui ce taré ?

— C'est le petit vieux d'Alicia. Celui qu'elle va rencontrer régulièrement au cimetière.

— Le petit vieux d'Alicia ? Quel vieux ? Qu'est-ce que tu racontes ?

— Le problème ? C'est que cet individu est un revenant !

— Isa ! Tu te rends compte de ce que tu dis ? Tu perds les pédales ou quoi ?

— Pas du tout ! Je sais que ça va te sembler énorme et impossible, mais je peux te conduire à sa tombe. Ce type est enterré là depuis plus de vingt-cinq ans et, en dépit de ça, il se balade tous les jours dans le cimetière, à la recherche d'une proie. Et Alicia est tombée dans ses filets.

Parvenue à ce point-là, autant tout lui raconter. C'est donc ce que j'ai fait sans rien omettre. Max m'a écoutée sans rien dire, le visage de plus en plus renfrogné. À la fin, il a émis un petit sifflement de dérision.

— Tu te surpasses, Frangine. Si t'étais pas ma sœur, je dirais que t'es folle à lier. Mais j'ai été témoin de tes exploits et je sais maintenant qu'il y a certaines choses impossibles à expliquer rationnellement. T'avoueras quand même que c'est hyper sauté tout ça.

— Vu de l'extérieur, oui. Mais on peut pas passer à côté du fait qu'Alicia tombe malade dès qu'elle met le pied au cimetière. Ce type, il lui bouffe son énergie. Et elle peut en mourir, Max, on doit l'aider à se sortir de ce merdier.

— T'as une idée de ce qu'on peut faire ?

— Tu peux l'empêcher de courir au cimetière. Je sais pas comment il fait mais elle est attirée vers lui et elle peut pas lui résister. C'est un séducteur et un manipulateur de première. Un vautour. Moi-même, je me suis fait prendre à son numéro de petit vieux pathétique. Mais toi, tu peux faire la différence puisque Alicia t'aime.

— Ouais... t'as peut-être pas tort!

— J'ai déjà essayé de la mettre en garde, mais elle me croit pas. Elle sait pas tout. Mais toi, si tu lui parles, ça va peut-être l'aider à réagir. Essaie d'être le plus souvent possible avec elle. Je vais couvrir tes absences du côté des parents.

— Ouais... mais c'est pas vraiment possible vingt-quatre heures sur vingt-quatre. On a nos horaires, nos exams, et tu connais papa. Si je suis trop souvent en dehors de la maison, il va encore péter une coche.

— On n'a pas le choix, Maxou.

— Et toi, là-dedans, Frangine, t'es sûre d'être assez solide pour affronter ce maniaque?

— Je sais pas! Mais faut pas le laisser faire. Par moments, j'ai super peur de lui. Il est beaucoup plus fort et il connaît bien plus de trucs que moi. Mais mon instinct me dit que j'ai raison. C'est un être malfaisant, un tueur, qu'il faut anéantir ou du moins écarter du chemin des vivants. Et je ne suis plus seule là-dedans. Si t'es de mon côté, à nous deux, on va l'avoir...

— Et tu sais pourquoi il s'est fait sacquer de l'université ?

— Pas vraiment. J'ai pas encore eu le temps de chercher. Il a dû faire quelque chose d'assez terrible pour qu'on en arrive là. Je suis à peu près sûre qu'il est à l'origine de la mort du professeur Bergonzi. Dans l'une de mes transes, je l'ai vu donner un sachet de poudre grise à Grégoria Fiorini. Et ça se passait quelques jours avant son accident... Je suppose qu'elle a accepté de droguer son mari. Mais il s'est fait renvoyer bien après. Au moins deux ans plus tard, si je me souviens bien.

— Pas très catholique, le bonhomme ! De mon côté, je vais faire des fouilles dans les archives de l'université pour essayer d'en savoir davantage.

— Pour le moment, on doit rejoindre au plus vite Alicia. La mettre au courant de tout ça. Elle est supposée être où actuellement ?

— Au Starbucks. Je crois qu'elle travaille de 16 h à 21 h.

— OK. On y va. T'es d'accord ?

— C'est beau, Frangine, on y va.

D'un même pas décidé, on est sortis tous les deux du cégep, en route vers la bouche de métro. Même si l'inquiétude me rongeait, je flottais sur un petit nuage. J'avais retrouvé mon frère, mon complice de toujours, et on allait se battre côte à côte. Je savais maintenant qu'il ne me lâcherait pas.

Au Starbucks, il y avait comme un parfum de drame dans l'air. Alicia n'était pas là. Max s'est dirigé directement vers la salle de repos des employés, et moi, je me suis assise sur une des banquettes recouvertes de tissu fleuri devant un sandwich au thon que j'ai avalé en trois bouchées. J'avais une faim de loup étant donné que j'avais sauté mon repas de midi. Rassurée par la présence de mon frère, mon appétit revenait au galop.

Je connaissais un peu une des serveuses, Nicole. Elle était dans le même groupe de maths enrichies que Max. On n'était pas vraiment copines mais on était capables de se parler. Je suis donc allée la rejoindre près de la machine à café qu'elle était en train de nettoyer. Après les saluts d'usage, je lui ai demandé si elle avait vu Alicia.

— Oui, tu l'as manquée de peu. Elle est restée à peine une heure ici. Elle est retournée chez elle. Elle était pas dans son assiette.

— Ah ! Qu'est-ce qu'elle avait ?

— Quand elle est arrivée vers quatre heures et demie, elle semblait correcte. Comme d'habitude. Normale, quoi ! C'était l'heure creuse de fin d'après-midi, le café était quasi vide. Mais y avait un petit vieux qui l'attendait.

— Hein !

— Ils avaient l'air de bien se connaître. Elle est allée s'asseoir tout de suite à côté de lui. Après, elle lui a apporté du thé. Elle était toute contente de le voir.

— Un vieux type avec une moustache blanche et un pardessus noir ?

— En plein ça ! Ils ont discuté un petit moment.

— Et après ? Qu'est-ce qu'ils ont fait ?

— Il s'est passé quelque chose de bizarroïde. Moi, je l'ai pas vu, mais l'assistant gérant m'a raconté qu'Alicia s'est soudain mise à saigner du nez. Très fort. Des deux narines à la fois. Débile, non ?

— Et alors ?

— Le vieux monsieur a pris un paquet de serviettes sur la table et il lui a fait renverser la tête par en arrière sur le dossier de la banquette. Il a mouillé une serviette avec son verre d'eau pour lui essuyer le nez et lui faire une sorte de compresse. Il lui parlait tout bas. Le sang a fini par s'arrêter.

Le vieux est parti pas longtemps après. Alicia était blanche comme un linge. On a voulu lui faire boire un café, mais elle a refusé. Elle voulait juste rentrer chez elle pour se reposer.

— Ça se comprend, la pauvre !

— J'espère que c'est pas trop grave. C'est quand même pas normal d'être malade tout le temps comme ça. Elle a pas de santé, cette fille… Y a tout de même un détail pas clair qui me chiffonne dans cette histoire… mais tu vas dire que je regarde trop les *X-Files*.

— Dis toujours !

— Ben, c'est moi qui ai débarrassé la table où Alicia était assise. La tasse de thé du vieux type était intacte. Pas touchée du tout. Et j'ai pas retrouvé les serviettes tachées de sang avec lesquelles il lui a essuyé le nez. Je sais pas ce qu'elles sont devenues, si c'est elle qui les a emportées ou quoi… Moi, dans les mêmes circonstances, j'aurais jamais pensé à ça.

— *My God !*

Je me suis levée comme si j'avais été piquée par une guêpe. Mon sandwich au thon m'a remonté dans la gorge. LE LIEN DU SANG ! Il avait réussi à établir le lien du sang. Il ne se contentait pas de lui voler son énergie vitale. En bon vampire qu'il était, il s'attaquait aussi à son fluide vital, son sang.

Je me souvenais de ce que ma guide m'avait seriné en boucle jusqu'à ce que je comprenne: «Le lien du sang, Isabelle. Prends garde au lien du sang!» Sa rencontre avec moi avait suffisamment ébranlé Roberge pour lui faire quitter son cimetière et partir à la recherche de sa victime. Alicia lui avait sûrement parlé de son emploi au Starbucks et il n'avait pas été bien difficile pour lui de la retrouver. Il l'avait bien sagement attendue, assis sur sa banquette fleurie, comme une araignée venimeuse au centre de sa toile.

Juste à ce moment, Max est sorti de la salle de repos des employés avec l'air catastrophé. Il venait d'apprendre la même chose que moi, à quelques détails près. On est sorti tous les deux sur le trottoir glacé afin de confronter nos versions. La disparition des serviettes pleines de sang, détail qu'il ne connaissait pas encore, l'épouvanta. Il n'a pas mis une seconde à décider de ce qu'il fallait faire.

— Je cours tout de suite chez Alicia. Toi, tu rentres à la maison et t'inventes quelque chose pour calmer papa.

— Le plus simple, c'est de dire la vérité. On a appris en venant faire un tour au café qu'Alicia était malade et t'es allé la soigner. Pas compliqué et en plus, c'est tout vrai.

— Ouais, t'as raison.

— Une fois chez elle, explique-lui ce qui se passe. Et ouvre les fenêtres pour lui faire respirer un peu d'air pur.

— OK. Je reste avec elle cette nuit, si je peux. Et je vais faire des recherches sur son *laptop* dès qu'elle dormira. Je t'appelle dans la soirée.

On a couru vers le métro et on a pris chacun la direction opposée. Juste avant de se séparer, Big Max s'est tourné vers moi et m'a lancé un clin d'œil.

— Avec toutes tes histoires, on est vraiment dans la merde, Frangine… mais on peut pas dire qu'on s'ennuie une minute avec toi !

Bien au chaud dans ma rame de métro, j'ai fermé les yeux en me concentrant au maximum sur Roberge. Le passé récent était le plus facile à faire remonter. J'avais huit stations devant moi. Amplement le temps de voir ce qui s'était passé dans l'après-midi.

Il est assis bien tranquillement sur la banquette fleurie du Starbucks, image de la dignité. Il sait qu'elle va venir, la belle Alicia. Il n'a pas beaucoup de temps devant lui. La petite rouquine rôde et essaie de lui mettre des bâtons dans les roues. Mais elle ne fait pas le poids. Plus tard, lorsqu'elle aura acquis de l'expérience et qu'elle aura affiné ses dons, elle deviendra redoutable. Si elle en a le temps…

Pour le moment, elle ne sait pas encore ce qu'elle fait ni à qui elle s'en prend. Elle se promène comme un jeune chien fou dans les zones dangereuses des grands mystères et il peut l'écraser comme une punaise importune. N'importe quand !

Alicia fait son entrée dans ce café anonyme qui sent les toasts grillés et la sueur des gens pressés. Comme toujours, il est surpris par sa haute taille, sa démarche de danseuse et l'éclat de ses yeux mordorés. Son visage s'éclaire dès qu'elle l'aperçoit. Elle avance tout de suite vers lui en déroulant l'écharpe qui protège son cou et en déboutonnant son manteau. Elle insiste pour lui offrir une tasse de thé. Il accepte. Comment refuser ? Mais il sait qu'il n'y touchera pas. Il est au-delà des nourritures terrestres. Enfin presque… parce qu'il a désespérément besoin de quelque chose. Quelque chose qu'elle peut facilement lui donner.

Comme toujours entre eux, la conversation est fluide. Le professeur Roberge *se permet quelques phrases en espagnol, ce qui fait rire la belle fille assise devant lui. Soudain, il lui prend la main et il la regarde intensément. Hypnotisée, elle se tait, elle écoute et… elle obéit. Tout doucement, le sang affleure ses narines, deux petits ruisseaux rouges qui, pour lui, représentent la vie. Elle porte la main à son nez. Tout doucement, il écarte cette main blanche et il essuie le flot rouge du bout de son doigt. Tout doucement, il se lève et saisit un paquet de serviettes de papier dans le présentoir de la table voisine, entre le sel et le poivre. Il a le temps de porter son doigt souillé à sa bouche. Du sang, du sang chaud. Une seule petite goutte de sang jeune. C'est trop peu, mais pour lui, c'est la vie. Il y a si longtemps qu'il n'a dégusté un tel délice, une gourmandise salée avec un arrière-goût de fer. Exactement ce dont il a besoin.*

Il mouille une serviette, devient compatissant, donne quelques conseils hérités d'une vieille expérience. Le flot de sang se tarit tout doucement. La jeune fille revient tout doucement à elle. Il peut partir. Ce sera suffisant pour aujourd'hui, mais il aura besoin de bien plus dans les prochains jours. Subrepticement, il ramasse les serviettes tachées de rouge et les glisse dans sa poche. Le soir va bientôt tomber et il doit retourner au plus vite dans son antre. Après un salut écourté, le vieil homme se lève et sort du café.

La tête bourdonnante, Alicia ne sait plus où elle en est. Elle se sent incroyablement faible et n'a qu'une seule envie : rentrer dans son appartement jardin, se pelotonner dans son lit et dormir le plus longtemps possible. Si seulement elle pouvait ne jamais se réveiller, afin de ne plus subir cette torturante impression de mourir à petit feu…

Tout comme elle, je suis revenue à moi brusquement. Lorsque j'ai ouvert les yeux, le wagon était quasiment vide. J'avais dépassé ma station et je me retrouvais presque au terminus. J'ai repris le chemin inverse, accablée par la fatalité qui pesait sur les épaules d'Alicia… et tout de même assez intriguée par ce que Roberge pensait de moi. Est-ce que j'avais réellement tant de pouvoir que ça? Assez pour l'effrayer et l'obliger à précipiter les événements? Pouvait-il m'écraser comme une punaise nuisible, ainsi qu'il le prétendait?

J'ai vaguement entendu Max rentrer un peu après minuit. Comme il ne m'avait pas téléphoné, j'étais allée me coucher à peu près tranquille en pensant qu'il avait sans doute mieux à faire que d'appeler sa frangine unique et préférée. Mon intuition était en congé car j'étais complètement à côté de la plaque. Je l'ai entendu jeter son sac dans un coin, maltraiter sa chaise et ouvrir son ordi. Ensuite, le noir total. J'ai dormi comme une brute jusqu'au matin.

Quand Max a débarqué au petit déjeuner, les yeux profondément enfoncés dans des cernes mauves et les cheveux hirsutes, j'ai tout de suite vu qu'il n'avait pas fermé l'œil de la nuit. Moi, j'avais mon premier cours de la journée à 11 h, et lui, il avait une séance intensive de rattrapage de français tout l'après-midi. On a attendu que les parents partent avant de s'expliquer. J'ai ouvert le feu avec un déluge de questions.

— Qu'est-ce qui s'est passé ? Pourquoi t'es pas resté avec elle, comme prévu ? Tu lui as dit quoi ? Comment elle va ?

Il a ricané en haussant les épaules et en regardant le plafond.

— Figure-toi que je me suis fait jeter dehors. Quand je suis arrivé chez elle, elle était roulée en boule dans son lit. Complètement crevée. Au début, elle était bien contente de me voir. Je lui ai préparé un bouillon de poulet avec des nouilles pour qu'elle mange quelque chose de réconfortant. Ça l'a un peu requinquée. Après, on a discuté. Mais dès que j'ai commencé à parler de Roberge, elle est montée sur ses grands chevaux. Elle voulait rien comprendre, rien entendre. Le ton a monté. Elle m'a traité de tous les noms.

— Ben dis donc !

— On s'est chicanés. Je te passe tout ce qu'elle a pu déblatérer sur toi. Pour résumer, t'es rien de mieux qu'une hystérique, bonne à enfermer dans un hôpital psychiatrique. Quand je lui ai parlé des serviettes tachées de sang, elle est devenue enragée. Elle s'est levée de son lit comme une furie et elle a ouvert la porte en hurlant que je pouvais sacrer mon camp… qu'elle voulait plus jamais me revoir… qu'elle avait son voyage de notre famille de fous… de notre pays de merde où il fait toujours froid, etc.

— Qu'est-ce que t'as fait ?

— Je suis parti, tiens ! Y avait pas moyen de lui faire entendre raison. J'allais pas rester là à me faire insulter, quand même…

Comme une âme en peine, il faisait les cent pas dans la cuisine. Il était furieux, lui aussi, mais je le sentais très déterminé.

— Il a vraiment une grande emprise sur elle. Ça tourne en jus de boudin, cette histoire.

— Encore plus que tu pourrais le croire. Quand je suis rentré à la maison, j'étais super énervé. Pas du tout sommeil. Alors j'ai fait des recherches sur Internet au sujet de ton ami Roberge. Et j'ai découvert plusieurs trucs assez incroyables.

— T'as trouvé pourquoi il s'est fait renvoyer de l'université ?

— Rien d'officiel. Mais, figure-toi que pas moins de cinq personnes sont mortes de façon mystérieuse, dans son entourage immédiat, pendant l'année qui a précédé son renvoi.

— Pas vrai ?

— Si. Sa secrétaire, son chef de département, un des esclaves qu'il avait engagés pour faire les corrections à sa place et deux collègues proches :

un chargé de cours et un prof titulaire. Ça fait un peu beaucoup pour un seul homme. Il a dû manquer de discrétion ou faire une gaffe à un moment donné, car quelqu'un d'un peu plus futé que les autres a fait des recoupements. L'université a étouffé l'affaire. Il devait pas y avoir de preuves évidentes, sinon il se serait retrouvé en taule, mais on a préféré, en haut lieu, l'éloigner du campus.

— C'est sûr que devant un tribunal, les messes noires, les incantations aux esprits du mal, les philtres magiques et autres fantaisies du genre, ça fait pas très sérieux pour condamner quelqu'un.

— Y avait pas mal de religieux à cette époque au département de philo. J'ai même découvert que l'abbé Gérald Marinier, qui enseignait l'histoire des religions, était aussi l'exorciste officiel de l'évêché pour toute la province. Tu vois un peu le topo.

— Wow ! Le super abbé a été capable d'additionner deux et deux, et il a compris tout de suite.

— L'incroyable, c'est que Roberge ait réussi à s'en sortir aussi bien. Vachement fort, le mec !

On s'est regardés, mon frère et moi. On nageait en plein dans l'histoire la plus sordide qui soit et on allait devoir faire très attention à ne pas se noyer dans ses eaux noires. On en était conscients tous les deux. Je suis remontée la première pour respirer à la surface.

— Et Alicia ? Qu'est-ce qu'on fait avec elle ?

— Je vais l'appeler ce soir. Elle aura eu le temps de se calmer… enfin, j'espère.

— J'espère aussi…

Inutile d'en dire plus. On ne devait plus la lâcher d'une semelle. L'occulte professeur Roberge n'allait pas en rester là.

On a préparé nos affaires pour aller au cégep. J'ai bâclé un lunch pour Max et moi et on a quitté la maison ensemble. En route vers le métro, une pensée obsédante trottait dans ma tête. Quelque chose clochait dans ce que Max avait appris, mais je ne parvenais pas à mettre le doigt dessus. C'était là, géant, évident comme le nez au milieu de la figure… mais j'étais aveugle. Il fallait d'urgence que je comprenne. Sans cesse, je revoyais la silhouette de ma guide répandre autour d'elle le contenu de sa fiole de sang. Je revoyais son corps se recroqueviller comme un vieux papier froissé et j'entendais sa voix lointaine qui n'arrêtait pas de me mettre en garde… Le lien du sang ! Complètement frustrant !

Dans l'après-midi, j'avais un travail d'histoire de l'art à peaufiner avec Justine. On avait fait une recherche sur Cézanne, le père de l'art abstrait, un peintre maudit qu'on adorait toutes les deux. En atelier, on révisait une dernière fois notre travail avant de le remettre au prof. C'est en vérifiant les dates de naissance et de décès de l'artiste que mes lumières se sont allumées. L'évidence m'est tombée dessus comme une tonne de briques. Au moment de son renvoi, en 1971, Claude Roberge faisait partie du monde des vivants puisqu'il n'avait été enterré qu'en 1984. Il n'était pas encore un revenant ou un vampire... peu importe le nom qu'on pourrait lui donner. Pourquoi alors faisait-il mourir les gens autour de lui ? S'il volait l'énergie de ses victimes comme il le faisait actuellement avec Alicia, à quoi cela lui servait-il ? À quelles fins l'utilisait-il ?

Je n'avais pas de réponses. Plein d'hypothèses se bousculaient dans ma tête mais je n'ai pas eu le temps d'y réfléchir car, à partir de ce moment-là, les choses se sont vraiment précipitées.

J'ai su par la suite que Max avait écourté son rattrapage de français. Il s'était pointé au Starbucks vers 16 h dans l'espoir d'y rencontrer Alicia. Peine perdue. Après, il s'était rendu à l'Université de Montréal. Au local des étudiants du département des langues, personne ne l'avait vue depuis plusieurs jours. Il avait essayé de la joindre en vain une bonne dizaine de fois à son appart. En désespoir de cause, il avait fait le pied de grue à l'entrée du cimetière Notre-Dame-des-Neiges jusqu'à l'heure de la fermeture. Il avait même appelé Carlos, le latino avec qui elle dansait le tango. Là encore, il avait frappé un mur. À croire qu'elle s'était volatilisée dans la nature. Dire qu'il était inquiet serait une figure de style optimiste.

Lorsque je l'ai sonné en soirée pour avoir des nouvelles, il était en route pour se rendre chez elle. Il avait la clé de son appart et il était bien décidé à ne pas bouger de là, aussi longtemps qu'il le faudrait, jusqu'à ce qu'elle se pointe. Jacinthe sentait qu'il y avait de l'électricité dans l'air. Toutes les dix minutes environ, elle montait à l'étage vérifier si son grand fils était rentré. Et Mamicha n'était pas en reste. Cette soirée-là, elle a appelé au moins trois fois sous différents prétextes. Tout comme moi, elle sentait qu'on approchait d'un affrontement brutal.

Lorsque Max a rappelé, à peine une demi-heure plus tard, j'ai eu du mal à reconnaître sa voix tellement il était paniqué.

— Isa… faut que tu viennes tout de suite… elle est là… elle est dans le cirage… elle entend rien… elle voit rien… y a du sang partout dans son lit… Je sais pas quoi faire!

— Du calme, Maxou. T'as vérifié si elle respire régulièrement?

— Ouais. Je l'ai fait. Elle est encore vivante.

— On arrive le plus vite possible. Avec papa et maman. Appelle le 9-1-1. Ils vont te dire quoi faire. Courage, frangin. On te laisse pas tomber.

Je suis sortie comme une fusée de ma chambre et je n'ai pas pris deux minutes pour convaincre

Jacinthe et Pierre de l'urgence de la situation. Papa a sourcillé en voyant le cellulaire, mais il a réalisé que c'était pas le moment de faire un sermon sur les dépenses folles de ses deux rejetons. Quant à maman, je crois qu'elle avait deviné depuis longtemps nos petites cachotteries.

On a traversé la ville en un temps record. Une ambulance était stationnée devant la porte de l'immeuble d'Alicia. Papa a garé l'auto n'importe comment sur le trottoir et on a monté les quatre étages à la course. Les paliers étaient encombrés de locataires curieux. Pour une fois, il y avait de l'action dans leur escalier tranquille. Le petit jardin d'Alicia était bondé. Un policier aidait les ambulanciers à installer la jeune fille sur un brancard. On lui avait posé un masque à oxygène sur le nez et un flacon de soluté était accroché à son bras. Max lui soutenait la tête en caressant ses beaux cheveux blonds. Recouverte d'une couverture isotherme argentée, Alicia ne semblait plus appartenir à notre monde. Livide, le visage cireux, elle était déjà loin de nous. Lorsque les deux infirmiers ont soulevé la civière, j'ai eu comme un flash: ils emportaient avec eux une grande poupée désarticulée.

Je n'oublierai jamais le regard de mon frère lorsqu'il nous a vus: soulagement, affolement, chagrin, révolte… tout cela à la fois. Papa a pris les choses en main et il s'est chargé de répondre aux questions du policier sur l'identité de la jeune fille et sur ses liens avec nous. Maman et moi, on a enfermé Max dans nos bras et on lui a fait un rempart de notre amour pour qu'il puisse se laisser aller. Il avait le droit de pleurer son amour car, quoi qu'il arrive entre Alicia et lui, les choses ne seraient plus jamais les mêmes.

Moi, j'ai tout de suite vu le bouquet de roses rouges. Un magnifique bouquet qui illuminait tout le studio, auréolé de l'impalpable nuée grisâtre. J'étais dévastée. Max et moi, on avait été vraiment nuls. On n'aurait jamais dû laisser Alicia toute seule. On avait sous-estimé notre adversaire. Car il était venu, le distingué professeur Roberge. Je sentais sa présence malfaisante dans l'appartement exigu. L'odeur âcre du sang qui flottait dans la pièce était insupportable.

Tous les quatre, on a passé la soirée et un bout de la nuit aux soins intensifs de l'Hôpital Saint-Luc où Alicia avait été admise. Pendant plusieurs heures, l'équipe d'urgence s'est battue avec acharnement pour la faire sortir du coma profond où elle était enfoncée. Son corps semblait se déliter de partout. Ses sinus étaient à vif. Son estomac était rempli de caillots et, en plus, elle était dans sa période menstruelle. Mais le plus curieux, c'était les petites marques rondes sur ses bras et ses chevilles. Des trous minuscules, d'autant plus intrigants qu'il n'y avait aucune trace de drogue dans sa formule sanguine.

Une interne en blouse verte, les yeux rouges de fatigue, est venue nous rejoindre dans la salle d'attente où on se rongeait les ongles en famille. Elle nous a affirmé que la situation était maintenant contrôlée. Plusieurs transfusions avaient été nécessaires, mais les signes vitaux d'Alicia étaient rassurants. On allait garder la jeune fille en observation pendant plusieurs jours et, évidemment, des examens plus poussés allaient être nécessaires, car une telle perte de sang était incompréhensible. Avec un gentil sourire, elle nous a assuré qu'on ne pouvait rien faire de plus pour le moment et qu'on ferait mieux d'aller se coucher.

On a donc débarrassé le plancher, bien contents de retrouver les murs rassurants de la maison. Complètement vidé, Max s'est écroulé sur son lit comme une masse, sans même se déchausser. Maman a voulu nous réchauffer de la soupe, mais on n'avait vraiment pas faim. Avant de retrouver ma couette, je suis allée dans la chambre de mon frère. J'ai aidé Jacinthe à lui ôter ses bottes et on l'a emmitouflé dans une couverture. Il dormait la bouche ouverte, le front plissé, les deux bras jetés au-dessus de sa tête. Semblable au petit garçon qu'hier il était encore.

J'ai longuement regardé la nuit immobile et le clignotement glacé des étoiles qui me narguait. Le front appuyé contre la fenêtre, j'ai repoussé toutes les visions qui voulaient m'envahir. J'étais trop fatiguée. J'avais besoin de récupérer. Je ne voulais pas savoir… pas encore. La vérité me tomberait dessus bien assez tôt.

Je ne pouvais pas faire autrement. Le lendemain matin, j'étais devant la porte principale du cimetière Notre-Dame-des-Neiges. Complètement intox, moi aussi. Tout était gris et immobile, comme la douleur et la crainte qui pesaient sur mon cœur.

Comme si une main mystérieuse m'avait poussée dans le dos, j'ai presque couru dans les allées bien dégagées et je me suis retrouvée devant la tombe de Grégoria Fiorini. Pas de professeur Roberge en vue. J'espérais de toutes mes forces avoir un peu de temps devant moi. L'éternel bouquet de roses rouges était là, soigneusement nettoyé, immuable souvenir d'un amour monstrueux. J'ai regardé fixement le petit carré de terre glacée où reposait la défunte cantatrice et je me suis concentrée au maximum sur ce qui restait d'elle. J'ai fermé les yeux. Mon regard intérieur a traversé la couche de neige sale, le gazon desséché par le froid, le tertre de terre aussi dur qu'une pierre. Juste en dessous, j'ai découvert une boîte noircie, presque intacte, aux ferrures recouvertes de vert-de-gris. Ma vision a écarté le bois et j'ai pénétré le dernier lit de repos de la chanteuse à la voix magique. Elle était bien là, recouverte d'un drap souillé. Je distinguais les contours de son petit corps momifié, allongé sagement, les mains parcheminées jointes sur sa poitrine. Elle n'était pas encore retournée à la poussière. Je l'ai longuement caressée du regard. C'était la première fois que je voyais un vrai corps dans son cercueil. Je ne ressentais aucune peur. Je n'avais rien à craindre d'elle.

J'allais rouvrir les yeux et m'en aller lorsqu'une voix intemporelle m'a soufflé cet ordre étrange: «Regarde mieux!» J'ai senti alors qu'il se passait quelque chose de bizarre dans cette tombe. Le cercueil vermoulu dégageait un embryon de chaleur, une infime masse tiède, à peine perceptible, mais tout de même bien présente. Et ce point minuscule palpitait à intervalles réguliers. Tous les sens aux aguets, j'ai scruté la dépouille de Grégoria et j'ai compris avec horreur que son cœur battait encore... Une ou deux fois par minute, pas plus...

La petite momie noircie n'avait pas trouvé le repos de l'oubli. À mi-chemin entre le monde des vivants et celui des morts, elle survivait dans un endroit inconnu.

— NON !

Horrifiée, je me suis arrachée à cette vision et je me suis retrouvée toute tremblante dans le grand cimetière gris, haletante, étourdie, dépassée par la situation. Qu'est-ce que j'étais censée faire maintenant ? Comment une horreur pareille était-elle possible ? Comment ce petit corps dévasté par le temps pouvait-il respirer encore ? Sous quelle forme ? En quel endroit secret, interdit à tous ? J'ai glissé le long de la stèle qui portait en lettres d'or le nom de la défunte et je me suis mise à genoux, juste au-dessus d'elle. J'étais si bouleversée que la transe m'a emportée tout de suite.

Elle est là, dans la grande pièce sombre où il vient régulièrement la retrouver. Elle est étendue sur le sol, abritée par le cocon d'amour chaud qu'il a tissé juste pour elle, une sorte de grande mousseline brillante, fine comme une toile d'araignée, solidement fixée à des anneaux ancrés dans le mur. Il a mis toutes ses connaissances, tout son talent pour conserver cette étincelle de vie qu'il aime tant. Peu importe pour lui qu'elle soit si peu présente. Elle est encore là, pour lui seul, et c'est tout ce qui compte. Parfaitement immobile, elle dort. Le temps n'a aucun sens pour elle. Elle est bien. Il vient de la nourrir. Encore une fois, alors qu'elle allait s'éteindre, il lui a apporté l'élixir de vie. Il s'est agenouillé près d'elle et, goutte à goutte, il a fait couler dans sa bouche le précieux liquide. Elle s'est réveillée juste un instant lorsqu'elle a senti sur ses lèvres le goût délicieux de son baiser. Et pendant de trop courtes minutes, le souvenir de la passion s'est ranimé entre eux. Ensuite, elle s'est éloignée, déjà trop loin, toujours trop loin. Indifférente et inaccessible ! Et lui, il est retourné à son désespoir et à sa quête insensée. Il ne survit, lui aussi, que pour ces quelques instants volés à la mort.

Soudain, une présence étrangère aussi douce qu'une barcarolle l'oblige à émerger du néant. Une petite main inconnue détache les nœuds de la mousseline et déroule tout doucement le suaire chaud. Un froid de glace l'enveloppe. Pour une ultime fois, elle affronte la peur. Son cœur s'affole le temps d'un soupir puis il s'arrête. La petite étincelle de vie, si chèrement maintenue, s'éteint. La paix, enfin ! Et elle s'évade, loin de ce corps prison où il la maintenait dans le vain espoir de la garder encore. Avec grâce, elle s'élève et regarde avec compassion la fragile enveloppe qu'elle habitait. Juste à côté, une jeune fille à la chevelure rousse, les mains ouvertes, lui indique le chemin de la lumière. Elle a l'impression fugace de bien la connaître, cette petite sœur qui la console en lui murmurant de s'en aller, de ne pas regarder en arrière, de ne rien regretter parce qu'elle a payé toutes ses erreurs, ensevelie vivante le temps d'une éternité. De son passage sur terre, il ne restera que sa voix magnifique. Une toute dernière fois, elle l'utilise à l'adresse de celle qui la délivre. «Merci!»

Voilà! Elle était partie. Quelques instants avaient suffi pour que je la libère des liens qui la retenaient prisonnière. Dans le cercueil noirci par le temps, plus rien ne palpitait et la momie allait enfin retourner au néant. Sa voix merveilleuse et tout ce qui constituait l'essence de sa personnalité avaient traversé les frontières inconnues que tous les vivants redoutent. Pourtant, c'était si simple!

Agenouillée dans la neige durcie, les genoux glacés, je me suis sentie soulagée pendant quelques minutes. En paix avec moi-même. J'avais fait ce qu'il fallait. Ce que je devais.

Maintenant, je comprenais tout. Claude Roberge volait l'énergie des victimes innocentes qu'il rencontrait pour faire survivre celle qu'il n'avait jamais accepté de perdre. Pour retrouver pendant quelques instants la chaleur de sa passion, il tuait des gens depuis quarante ans. Par simple contact physique, il s'appropriait leur vie. Dans le meilleur des cas, il se repaissait de leur sang, comme il venait de le faire avec Alicia, et partageait avec son amante de sinistres festins. Comment s'y prenait-il? Quels pouvoirs occultes, quelles incantations, quelles sombres connaissances lui permettaient d'aussi monstrueux transferts?

Mystère! J'étais encore tellement ignorante, tellement novice que je n'avais pas envie d'en savoir davantage. Cependant, une chose était claire pour moi: cet individu était fou et terriblement dangereux. Qu'allait-il se passer lorsqu'il s'apercevrait qu'elle n'était plus là? Qu'allait-il me faire lorsqu'il comprendrait que c'était moi, la petite rousse, l'apprentie, l'insecte insignifiant, qui avait aidé son amoureuse à le quitter? À le trahir?

Je devais quitter ce lieu le plus vite possible et mettre le plus de distance entre nous. Prise de panique, je me suis levée et j'ai quitté l'endroit où mes deux genoux avaient creusé des empreintes dans la glace.

Mais je n'ai pas eu le temps d'aller bien loin. Alors que je courais vers la sortie, un choc intense dans le dos m'a fait trébucher. J'ai eu l'impression qu'on me sciait en deux. La douleur s'est propagée dans toute ma colonne vertébrale, me coupant le souffle. Une vague de terreur a balayé mon crâne, m'empêchant de penser à autre chose qu'au fait que j'allais mourir et que personne ne pouvait m'aider. Avec mes dernières forces, j'ai envoyé un SOS tous azimuts. AU SECOURS! Tout ne pouvait s'arrêter ainsi, dans l'allée figée d'un cimetière. Il fallait que je réagisse. Je me suis ramassée sur moi-même. La douleur… je savais comment la contourner… comment l'apprivoiser… m'éloigner, je devais m'éloigner de cet endroit… IL LE FALLAIT !

Je ne sais pas comment j'ai réussi cet exploit, mais je me suis retrouvée tout étourdie, à plus de cinq cents mètres de là, sur le rebord glacé de la déchetterie aux fleurs. Par la seule force de mon désespoir, j'avais transporté mon corps aussi loin que je le pouvais de mon bourreau. Dans ma tête, la douleur panique était encore lancinante, mais elle s'était atténuée, affaiblie par la distance que j'avais mise entre nous. Je pouvais mieux la contrôler. Hébétée, j'ai regardé autour de moi. Où était-il ? De quel côté viendrait la prochaine attaque ? Parce que je n'allais pas m'en sortir à si bon compte.

C'est alors que j'ai entendu sa voix directement dans ma tête. Une voix caverneuse où la fureur résonnait en échos assourdissants. J'ai obstrué mes oreilles de mes mains dans l'espoir naïf d'atténuer la nausée que toute cette haine me causait.

— Misérable ! Qu'as-tu fait ? Je vais t'anéantir !

My God ! J'étais perdue. Lui aussi, il pouvait abolir les distances et il m'avait facilement retrouvée. Il était maintenant à quelques pas de moi. Immense. Impitoyable. Puissant. Sombre comme un grand oiseau noir. Lentement, son regard vrillé au mien, il a levé la main. Une sorte de lasso sombre est sorti de sa paume et a navigué dans l'espace jusqu'à moi. Pour s'enrouler autour de mon cou. Prise sous la coupe de son regard hypnotique, j'étais incapable de fuir. La corde de ténèbres est devenue aussi dure qu'un filin d'acier et j'ai commencé à chercher mon souffle. J'étais presque résignée à la suite.

Soudain, le cellulaire s'est mis à vibrer contre ma cuisse. Juste avant de perdre connaissance, j'ai eu la présence d'esprit de plonger la main dans ma poche et d'ouvrir le rabat. Ultime appel au secours vers un monde auquel je n'appartenais presque plus… Mais ce n'était pas suffisant.

J'ai repris brusquement connaissance lorsque l'air est entré à grandes goulées dans mes poumons. Je pouvais à nouveau respirer. La corde n'était plus là, c'était miraculeux. Une haute silhouette s'était interposée entre Roberge et moi, rompant le contact. Et là, j'ai entendu ces mots incroyables :

— Laissez ma sœur tranquille !

Big Max, mon frangin, mon frérot, mon Maxou, mon sauveur était là, campé solidement entre le vampire et moi. Lui aussi, il m'a semblé immense. D'autant plus imposant que j'étais recroquevillée sur le sol derrière lui. Entre ses jambes écartées, je pouvais voir la silhouette du professeur qui lui faisait face. Les deux hommes se toisaient avec fureur. Il n'y avait aucun lien tangible entre eux puisqu'ils n'avaient jamais eu de contact physique. C'était même la première fois qu'ils se voyaient. Roberge n'avait donc aucun ascendant, aucun pouvoir sur mon frère.

Je me suis relevée en titubant. Je n'étais pas pour autant tirée d'affaire, car le digne professeur n'allait pas laisser échapper sa vengeance aussi vite. Il envoya une onde de choc vers Max pour l'écarter. Mon frère encaissa le coup en chancelant, mais il se ressaisit presque tout de suite et, ramassant une branche sur le sol, il fonça sans crier gare sur notre ennemi. Brandissant son arme improvisée, il lui en asséna un grand coup sur le crâne, avant de le fouetter de haut en bas, sur tout le corps. Le feutre gris roula sur le sol. Le manteau noir se zébra de marques boueuses. Le revenant commença à reculer, stupéfait de cette attaque en règle contre laquelle il était impuissant. Sonné, il s'écroula sur le banc où il venait parfois prendre le soleil dans l'attente de sa prochaine victime. Les mâchoires crispées par la haine, mon frère s'avança vers lui en brandissant sa branche. J'ai hurlé.

— ARRÊTE !

— Pourquoi ? Faut l'abattre. Il est même pas vivant. C'est une bête malfaisante.

— Si tu fais ça, tu te mets au même niveau que lui. Il aura gagné. Je t'en supplie, arrête !

Lentement, mon frère a baissé le bras. La branche est tombée par terre. Un filet de sang coulait sur le front de la créature qui avait repris son apparence de vieillard. Le sang d'Alicia. Infiniment pitoyable, le vieil homme me regardait avec désespoir. Un dialogue muet s'établit entre nous.

— Pourquoi tout cela ?

— Je l'aimais tant. Je ne pouvais pas vivre sans elle. Tu ne peux pas comprendre…

— C'était tellement injuste de la retenir ainsi, dans ce petit corps ravagé par la mort, tellement égoïste et monstrueux de votre part. Je devais la délivrer, vous comprenez. Je ne pouvais pas faire autrement… Elle est libre maintenant. Je suis sûre qu'elle vous aime encore, là où elle se trouve.

— Tu ne connais rien de l'amour, petite sorcière. Un jour, toi aussi tu devras faire face à la part d'ombre qui dort en toi.

— Jamais je ne ferai ce que vous avez fait !

— En es-tu bien sûre ?

Cette perspective était tellement épouvantable que je l'ai écartée de mon esprit. Il essayait une ultime fois de me déstabiliser. Il a gémi. Je lui envoyé ma chaleur de Consolante. En vain. Il n'y avait que noirceur dans son âme et inconsolable solitude. Aucune douceur ne pouvait l'atteindre. Il était perdu.

— Tu m'as tout pris, apprentie ! Mais on se reverra. Je le jure !

— Peut-être… mais je ne le souhaite pas.

Lentement, le vieillard s'est levé. Max et moi, on s'est serrés l'un contre l'autre. On l'a vu redescendre à petits pas vers la sinistre demeure qui était la sienne, sa chevelure de neige formant un halo autour de sa tête. On l'a suivi de loin et quand il s'est volatilisé entre les arbres, on a repris le chemin des vivants. En dépassant la grille, sur la Côte-des-Neiges, on pleurait tous les deux. Qu'est-ce qu'on pouvait faire de plus ? Qui allait nous croire si on racontait une histoire pareille ? De toutes mes forces, j'espérais que Roberge allait maintenant renoncer à sa quête mortelle, mais je ne pouvais être sûre de rien.

On s'est réfugiés dans le coin resto de la boulangerie Au Pain Doré et on a commandé deux bols de chocolat chaud pour se remonter le moral. Accoudé à une table minuscule, Max ne lâchait pas ma main. Je tremblais comme une feuille. La boisson veloutée me calma un peu. La vie reprenait peu à peu des couleurs autour de moi. Max secoua son engourdissement et me sourit.

— Tu vis dangereusement, Frangine!

— Tu trouves?

Un ange passa entre nous. Notre complicité avait remonté au zénith.

— Comment t'as fait pour me retrouver?

— Grâce à Mamicha. Tu te souviens de la crise que j'ai piquée lorsque tu lui as donné le numéro du *cell*? Ben, une chance que tu l'as fait.

— Comment ça?

— Elle a «entendu» et elle a «vu» que t'étais en danger. Me demande pas comment. Ça me dépasse, vos trucs de sorcières. Dès qu'elle a reçu ton SOS, elle m'a tout de suite appelé. Elle paniquait. J'ai à peine compris ce qu'elle me racontait tellement elle était énervée, mais j'ai tout de même été capable d'additionner deux et deux. Tu pouvais être qu'ici, dans ce foutu cimetière, à régler tes comptes avec ce chacal.

— Et après, comment t'as fait... il est si grand ce cimetière...

— Ouais. Mais tu m'avais raconté pour Alicia... la décharge où elle venait récupérer les fleurs... tout le kit... Comme je savais pas au juste où se trouvaient les tombes de la chanteuse et de Roberge, j'ai pris une chance. D'après tes descriptions, je savais que c'était dans ce coin-là, sur un promontoire avec vue panoramique sur la ville.

Y en a pas trente-six. J'étais en route pour le cégep. Je suis sorti du métro comme une fusée et j'ai couru jusqu'ici. Quand j'ai posé le pied dans le cimetière, je t'ai appelée et t'as décroché presque tout de suite. Donc, t'étais pas loin… Et comme t'as pas répondu, je savais que t'étais dans la merde jusqu'aux oreilles.

— Tu « savais » ?

— Ben quoi ! Ça m'arrive aussi d'avoir de l'intuition. C'est génétique, non ?

Pendant un instant, on a rigolé comme des fous. Ça faisait tellement de bien. Mais les larmes ont vite recommencé à noyer mes yeux.

— Qu'est-ce qu'il y a Isa ? Calme-toi, un peu… tu vas pas brailler comme un veau toute la journée.

— Tu peux pas savoir, Maxou. Si t'avais pas été là, je serais morte à l'heure qu'il est. En fait, tu m'as sauvé la vie…

— Délire pas ! T'es bien armée pour te défendre.

— Tu te rends pas compte à quel point cette histoire est horrible et triste. Il l'empêchait de mourir. Il la maintenait dans son cercueil VIVANTE. Et il tuait les autres pour en arriver là. Qu'est-ce qu'il va faire maintenant ?

— Il a pas intérêt à t'approcher… sinon je le massacre. T'aurais pas dû m'arrêter. Au moins, il ferait plus de mal à personne.

— Max, on n'est pas comme lui. Il a fait assez de dégâts comme ça. Pas la peine d'en rajouter.

On n'osait pas prononcer son nom mais on pensait à Alicia, telle qu'on l'avait vue la nuit d'avant, exsangue, presque morte, inutilement sacrifiée.

Le reste de la journée a été chaotique. Je me sentais tellement fatiguée. Pour un oui, pour un non, je me mettais à pleurer. Sans cesse me revenait à la mémoire le visage immobile et parcheminé de Grégoria. Sans cesse, je guettais les battements douloureux de son cœur moribond. Comme je n'étais bonne à rien et que je ne parvenais pas à me concentrer sur mes cours, je suis rentrée à la maison en plein après-midi. Il n'y avait personne. J'ai appelé Mamicha et je lui ai tout raconté. Elle est devenue presque folle au téléphone. Ensuite, je me suis roulée en boule sous ma couette et, miracle! j'ai dormi presque deux heures sans faire aucun mauvais rêve. Quand je me suis levée, je me sentais un peu mieux.

Dans la soirée, on avait convenu, Max et moi, d'aller voir Alicia à l'hôpital. On avait rendez-vous à l'entrée des urgences à 19 h. Mon frère avait fait un détour chez un fleuriste et il avait dégoté une sorte de jardin japonais plus ou moins artificiel avec un bonsaï, un pont sur une rivière en mini gravier bleu et un pêcheur à la ligne miniature. Un truc grandiose dans le genre kitch. Moi, je lui apportais des tuiles aux amandes que maman avait faites, dans l'espoir de réveiller son appétit.

Elle avait quitté les soins intensifs et on l'avait installée dans une chambre tranquille, au cinquième étage. Le soluté était toujours installé à son bras. Dans la chemise de nuit bleue de l'hôpital, elle semblait dormir, le visage posé sur le tapis de ses cheveux blonds. Elle avait repris des couleurs mais sûrement pas assez pour danser le tango. Lorsqu'on est entrés dans sa chambre, elle a ouvert les yeux et nous a souri timidement. Max s'est empressé d'aller l'embrasser. J'ai rompu le silence qui devenait embarrassant.

— Comment ça va, Alicia ?

— Beaucoup mieux maintenant… grâce à vous. Le médecin m'a dit qu'il s'en était fallu de peu. Une heure plus tard et c'était foutu.

— Ils t'ont fait passer des examens ?

— Toute la journée et les deux prochains jours aussi. Pour le moment, ils ont rien trouvé. Tout semble correct… mais c'est tellement anormal de perdre autant de sang qu'ils vont continuer leurs investigations.

— Alors c'est pas encore demain qu'on va te revoir au Starbucks ?

— Max, je vais jamais retourner au Starbucks !

— Mais pourquoi ?

— J'ai appelé en Argentine. Je veux rentrer chez moi. Mon papa est en route pour venir me chercher.

J'ai vu le regard de mon frère se brouiller mais il est resté stoïque. De toutes mes forces, je l'ai enveloppé d'une onde bienfaisante. *Reste cool, Maxou ! Ça devait arriver un jour ou l'autre. La sagesse, c'est de mettre le plus de distance entre Roberge et Alicia. Qui sait ce qu'il pourrait encore lui faire pour se venger… Si tu l'aimes, ne l'empêche pas de partir. Ne fais pas comme lui. L'amour n'est pas une prison… Laisse-la libre !* Il m'a fait un discret signe de tête pour me montrer qu'il avait capté mon message. Le chagrin qu'il ressentait avait vieilli son beau visage d'une bonne dizaine d'années. À cet instant, il comprenait mieux que quiconque la folie du professeur Roberge.

Je les ai laissés seuls. Ils avaient sûrement plein de choses à se dire qui ne me regardaient pas. Au poste des infirmières, j'ai demandé à voir le dossier d'Alicia mais on m'a envoyée sur les roses. Je ne faisais pas partie de sa famille proche, donc, ça ne me regardait pas. Avec un certain mépris, on a tout de même daigné m'informer qu'elle avait passé un scanneur, une échographie, une numération globulaire et autres réjouissances du même calibre. Un oncologue était passé la voir. Un oncologue! Autant dire un spécialiste du cancer… L'immense appareil hospitalier s'était mobilisé pour sauver la vie d'Alicia et connaître ce dont elle souffrait. Mais moi, l'insignifiante petite rousse, j'en savais bien plus qu'eux.

Alicia est partie une semaine plus tard. Tous les quatre, on est allés les conduire, son père et elle, à l'aéroport Trudeau. On s'était entendus pour ne pas éterniser les adieux. On les a donc déposés devant la porte de leur compagnie aérienne. Pierre et Jacinthe ont un peu forcé sur la bonne humeur. «Bon voyage… donnez-nous de vos nouvelles… rendez-vous sur Skype… on ira vous voir bientôt…» C'était surréaliste! Alicia gardait les yeux obstinément baissés. Entre elle et Max, le courant ne passait plus. Lorsque nous nous sommes embrassées, elle a glissé un petit merci poli et bref à mon oreille, rien de bien chaleureux, comme si elle m'en voulait de tout ce qui ne serait jamais dit entre nous. Comme si elle m'en voulait de tout ce qui était arrivé.

Ensuite, comme une grande poupée molle, elle s'est laissé étreindre par Max. Il l'a bercée dans ses bras un court instant, puis elle s'est dégagée doucement. Monsieur Rodriguez a passé son bras sous celui de sa fille et ils sont partis sans se retourner. On les a regardés s'éloigner dans le hall de l'aéroport. On savait très bien qu'on ne les reverrait jamais. Le visage de Max était sculpté dans la pierre. Il s'était réfugié très loin, hors d'atteinte.

Trois jours plus tard, le 2 avril, on a frappé le mur de nos dix-huit ans. Le soi-disant âge légal. Comme si, du jour au lendemain, on passait du stade de l'enfance à celui de la maturité. Maman avait prévu un souper de famille avec Mamicha et les cousins proches qu'on ne voyait jamais assez souvent. J'avais aussi invité Justine. Max n'avait convié personne à ce rite de passage. Depuis le départ d'Alicia, mon frère se comportait tout à fait normalement, mais je savais que le chagrin l'étouffait. Un jour ou l'autre, il allait exploser.

Le jour de la fête, au beau milieu de l'après-midi, alors qu'on était dans la cuisine en pleins préparatifs, Max s'est volatilisé. Papa l'a appelé plusieurs fois pour qu'il vienne nous aider. Maman est montée à sa chambre sans succès. Les parents se sont regardés avec un gros pli soucieux au front. Où était-il passé, leur grand moineau convalescent ? J'ai détaché mon tablier et j'ai enfilé mon manteau. Je savais où il était et j'étais bien décidée à le ramener au bercail.

Lorsque j'ai poussé la porte du jardin d'Alicia, j'ai vu la haute silhouette de mon frère découpée en ombre chinoise sur la fenêtre. Le minuscule appartement avait retrouvé son anonymat. Débarrassé de ses plantes et de ses multiples bouquets de fleurs, il ressemblait à tous les studios un peu minables de la ville, vétuste et triste. C'est Max qui s'était chargé de la corvée de nettoyage et il avait rempli une multitude de sacs-poubelles pour venir à bout de tous les végétaux qui encombraient l'espace.

Je me suis approchée de lui et j'ai passé mes bras autour de sa taille. Il pleurait sans retenue, ses larges épaules secouées par les sanglots. Il avait du mal à reprendre son souffle, mon Maxou. Je l'ai laissé pleurer tout son saoul, en l'enveloppant de toute ma tendresse. L'orage a fini par se calmer. Il y en aurait d'autres. En soupirant, il a ramassé son anorak. Juste avant de refermer la porte à clé, il a saisi un paquet sur le comptoir du coin cuisine et il me l'a donné.

— Bon anniversaire, Frangine !

— Il y aura d'autres beaux jours, Max ! D'autres aventures... j'ai besoin de toi. Jamais je retrouverai un *bodyguard* aussi qualifié que toi.

Il a haussé les épaules. On a descendu les quatre étages et on a glissé la clé dans la boîte aux lettres, comme le concierge l'avait demandé. Dehors, d'un même élan, on a levé les yeux vers la fenêtre. Rien à signaler. La nuée grise s'était bel et bien évaporée dans le néant et il ne restait rien du délire d'Alicia.

À la maison, les invités avaient commencé à arriver et Max a tout de suite été happé par le tourbillon de leur affection et de leur chaleur. Discrètement, je suis montée à ma chambre pour me maquiller un peu, mais surtout pour ouvrir le paquet que Max m'avait donné.

J'ai installé l'horrible jardin japonais à la place d'honneur, sur le rebord de ma fenêtre, en pleine lumière. Le bonsaï avait un peu souffert et le froid avait desséché plusieurs de ses feuilles. Le pêcheur à la ligne avait disparu. Alicia l'avait peut-être emporté dans ses bagages, ultime et pitoyable souvenir de son aventure parmi nous. J'ai arrosé mon petit arbre et j'ai lu avec une émotion intense la carte que Max avait plantée dans les graviers bleus de la rivière: «Il n'y a que toi qui peux comprendre, Frangine...»

En bas, la musique et les éclats de voix avaient monté d'au moins deux crans. J'ai entendu Max rire. Alors, en refermant la porte sur mes mystères, je suis descendue rejoindre mes amours et chanter la vie avec eux.

Je suis retournée une ultime fois au cimetière Notre-Dame-des-Neiges, par une belle journée ensoleillée du mois de juin. Il y avait des fleurs partout et les oiseaux se déchaînaient. La tombe de Grégoria Fiorini était soigneusement nettoyée. Son tertre de gazon vert avait été tondu et un magnifique pot de bégonias tubéreux voisinait la couronne de roses rouges.

Il était là, pas loin. Avec un frisson glacé, je me suis souvenue de ce qu'il m'avait dit, de ce côté sombre de l'amour qui dormait en moi. J'ai senti son regard sur ma nuque, mais il ne s'est pas approché de moi... pas cette fois.

TABLE DES MATIÈRES

Tome 1
ISABELLE

Ce livre a été imprimé sur du papier contenant 100 %
de fibres recyclées postconsommation, certifié Écolo-Logo
et Procédé sans chlore et fabriqué à partir d'énergie biogaz.